#교재검토
#선생님들
#감사합니다

강동욱	강면광	강세임	강유진	고예원	구은정	권구미	권익재	권지나	권효석	길지만
김민정	김민지	김솔	김수빈	김수아	김용찬	김정식	김정하	김주현	김준	김지나
김진규	김채연	김희연	노경욱	류세영	류화숙	민동진	민혜린	박레나	박상범	박선영
박영경	박영선	박영주	박유경	박은미	박은하	박진영	박효정	소지희	손규현	손지현
송희승	신나리	안재은	양성모	양지영	양지혁	양희린	엄금희	오보나	오재원	오희정
우진일	원주영	유효선	윤인영	윤정희	윤지영	이경미	이명순	이솜결	이수빈	이아랑
이아현	이은미	이충기	이현진	임도희	임유정	임은정	정수정	정진아	지민경	차효순
				최수연	최아현	최인규	하선빈	허미영	홍수정	황근은

Chunjae
Makes
Chunjae

▼

편집개발	이명진, 신원경, 이민선
디자인총괄	김희정
표지디자인	윤순미, 장미
내지디자인	박희춘, 박광순
제작	황성진, 조규영

발행일	2021년 1월 1일 초판 2021년 1월 1일 1쇄
발행인	(주)천재교육
주소	서울시 금천구 가산로9길 54
신고번호	제2001-000018호
고객센터	1577-0902
교재 내용문의	(02)3282-8884

중학 문법
3

시작은
**하루
영어**

시작하며

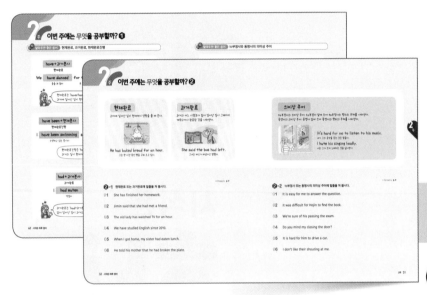

이번 주에는 무엇을 공부할까? ❶ ❷

- 그 주의 공부를 시작하기 전에 알아두면 좋은 문법 용어들을 삽화로 재미있게 구성하였습니다.
- 그 주에 공부할 문법을 간단한 문제로 미리 익힐 수 있게 구성하였습니다.

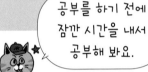

공부를 하기 전에 잠깐 시간을 내서 공부해 봐요.

한 주를 마무리 하며

▌특강 창의·융합·코딩

만화를 읽고 창의·융합·코딩 문제를 풀면서 한 주 동안 공부한 내용을 전체적으로 복습할 수 있도록 하였습니다.

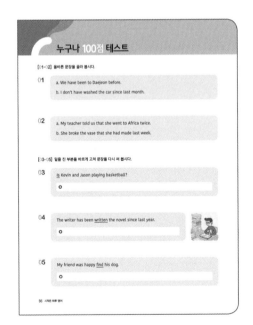

▌누구나 100점 테스트

한 주를 마무리하며 학습한 문법을 얼마나 잘 이해했는지 테스트할 수 있도록 하였습니다.

5일 동안

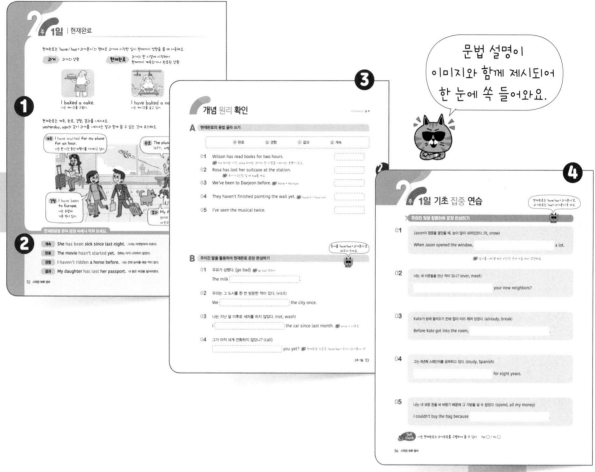

문법 설명이
이미지와 함께 제시되어
한 눈에 쏙 들어와요.

▌ 개념 설명 + 개념 원리 확인 + 기초 집중 연습

❶ 꼭 알아야 할 중요한 문법 개념을 이미지 삽화, 컷만화 등을 통해
이해하기 쉽게 구성하였습니다.

❷ 문법 개념을 영어 문장 속에서 익히며 정리할 수 있도록 하였습니다.

❸ 문제를 통해 문법 개념을 확실하게 이해할 수 있도록 하였습니다.

❹ 매일 배운 문법을 문제를 통해 연습할 수 있도록 구성하였습니다.

시작은 하루 영어
중학 문법 3 **차례**

1주

2주

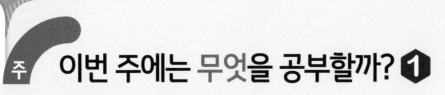
이번 주에는 무엇을 공부할까? ❶

🔍 **알아두면 좋은 용어** 간접목적어, 직접목적어, 주격 보어, 목적격 보어

She	gives	me	apples
		간접목적어	직접목적어
		나에게	사과를

목적어를 두 개 갖는 동사가 있는데,
하나는 간접목적어, 나머지 하나는 직접목적어예요.
간접목적어는 '~에게'로, 직접목적어는 '~을(를)'로 해석해요.

The chicken	is	delicious.
주어		주격 보어
치킨		맛있는

The chicken	makes	him	happy
		목적어	목적격 보어
		그를	행복하게

주격 보어는 주어를 보충 설명하는 말로 명사나 형용사가 쓰여요.
목적격 보어는 목적어를 보충 설명하는 말로 명사, 형용사, to부정사 등이 쓰여요.

I saw | the rabbit | **which has a watch** .

관계대명사

선행사   관계대명사가 이끄는 절

토끼를   시계를 가진

관계대명사가 이끄는 절은 접속사와 대명사 역할을 하며 선행사를 꾸며요.
그 역할에 따라 주격, 목적격, 소유격으로 나눠요.

관계부사

The house | **where the rabbit lives** | is small .

선행사   관계부사가 이끄는 절

집   토끼가 사는

관계부사는 접속사와 부사의 역할을 해요. 선행사가
시간이면 when, 장소이면 where, 이유이면 why, 방법이면 how를 써요.

1주

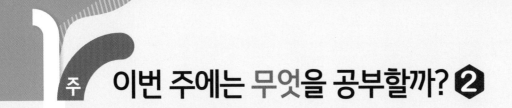
간접목적어와 직접목적어

간접목적어: '~에게'에 해당하는 목적어   예 me, him, her, my dad, the kids 등
직접목적어: '~을(를)'에 해당하는 목적어

He made me the cake.
　　　　간접목적어　직접목적어
그는 내게 케이크를 만들어 주었다.

○ Answers p. 1

❷-1 밑줄 친 말이 간접목적어인지 직접목적어인지 구별해 봅시다.

		간접목적어	직접목적어
01	He gave <u>me</u> the bread.	☐	☐
02	This song made <u>her</u> a star.	☐	☐
03	James wrote the girl <u>a letter</u>.	☐	☐
04	Our teacher taught us <u>math</u>.	☐	☐
05	Jaewon told him <u>the news</u>.	☐	☐
06	Mr. Jo will buy <u>his son</u> a computer.	☐	☐

관계부사

접속사와 부사의 역할을 하며, 선행사를 꾸미는 말

예 when, where, why, how

This is **how** he scared us.
이것이 그가 우리를 겁준 방법이다.

○ Answers **p. 1**

❷-2 관계부사를 찾아 밑줄을 쳐 봅시다.

01 I can't forget the day when I first met them.

02 I often go to the library where my mom works.

03 The book shows how birds fly.

04 Paris is the city where my friend lives.

05 She didn't know the reason why they were angry.

06 May is the month when I was born.

1형식 문장 주어+동사 / There+be동사

2형식 문장 주어+동사+주격 보어 / 주어+감각동사+형용사

3형식 문장 주어+동사+목적어

4형식 문장 주어+동사+간접목적어+직접목적어

5형식 문장 주어+동사+목적어+목적격 보어

문장의 형식에 대해 읽고, 영어 문장 속에서 익혀 보세요.

1 2형식 문장의 주격 보어: 주어를 보충 설명하는 말   주격 보어로 형용사, 명사를 써요.

2 5형식 문장의 목적격 보어: 목적어를 보충 설명하는 말   목적격 보어로 형용사, 명사, to부정사 등을 써요.

| 2형식 | The story is <u>funny</u>. 그 이야기는 재미있다. |
| | 　　　　　　주격 보어 |

2형식   The story is <u>funny</u>. 그 이야기는 재미있다.
　　　　　　　　　　　주격 보어

5형식   We call <u>him</u> <u>Mr. Smile</u>. 우리는 그를 Smile 씨라고 부른다.
　　　　　　　목적어　　목적격 보어

개념 원리 확인

○Answers p.1

A 문장의 동사에 밑줄 치기

01 A big dog barked. 큰 개가 짖었다.

02 I want you to carry the box. 나는 네가 그 상자를 옮기길 원한다.

03 My grandpa was a pilot. 내 할아버지는 비행기 조종사셨다.

04 He bought me some pens. 그는 내게 펜을 사줬다.

05 My friend called me a cowboy. 내 친구는 나를 카우보이라고 불렀다.

06 We enjoy riding bikes. 우리는 자전거 타는 것을 즐긴다.
　　　🐱 동명사 riding이 문장의 목적어예요.

B 밑줄 친 부분의 문장 요소에 ☑표 하기

01 Cheetahs <u>run</u> fast.　　　　□ 주어　　□ 동사　　□ 목적어

02 Do you want me <u>to come</u> with you?　□ 동사　□ 목적어　□ 목적격 보어

03 This movie made him <u>a star</u>.　□ 목적어　□ 주격 보어　□ 목적격 보어

04 The chicken smells <u>delicious</u>.　□ 동사　□ 주격 보어　□ 목적격 보어

05 I closed <u>the door</u>.　　　　□ 주어　　□ 동사　　□ 목적어

06 He gave her <u>some flowers</u>.　□ 목적격 보어　□ 간접목적어　□ 직접목적어

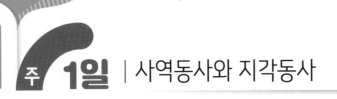

주 1일 | 사역동사와 지각동사

 사역동사는 목적어에게 어떤 행동을 하게 하거나 허락할 때 쓰는 동사로, '사역동사＋목적어＋동사원형' 형태로 써요.

Mom **made** **me** **walk** the dog.
　　사역동사　목적어　동사원형
엄마는 내가 개를 산책시키게 하셨다.

사역동사	+	목적어	+	동사원형	…가 ~하게 하다, 허락하다
make, have, let					

 지각동사는 보고 듣는 등의 감각을 나타내는 동사로, '지각동사＋목적어＋동사원형/동사의 -ing형' 형태로 써요.

I **saw** **him** **go** into the building.
　지각동사　목적어　동사원형
나는 그가 건물 안으로 들어가는 것을 보았다.

지각동사	+	목적어	+	동사원형	…가 ~하는 것을 보다, 듣다
see, watch, hear, listen to				동사의 -ing형	

진행 중인 동작을 강조할 때 써요.

사역동사와 지각동사를 영어 문장 속에서 익혀 보세요.

- He **made us finish** the work. 그는 우리가 일을 끝내게 했다.

- Mr. Yun **let her go** home early. 윤 선생님은 그녀가 집에 일찍 가는 것을 허락했다.

- He **watched Julia ride** a bike. 그는 Julia가 자전거 타는 것을 봤다.

- She **listened to me playing** the drums. 그녀는 내가 드럼을 치고 있는 것을 들었다.

개념 원리 확인

○Answers p. 2

A 밑줄 친 부분을 알맞은 형태로 고쳐 쓰기

01 Please let me <u>going</u> to the camp.

02 Mom made me <u>washed</u> my shoes.

03 I heard someone <u>to shout</u> loudly.

04 We listened to Yunjae <u>played</u> the piano.

05 I watched the dolphin <u>jumped</u> out of the water.

06 He had his brother <u>to clean</u> the room.

B 주어진 말을 배열하여 쓰기

01 그는 나를 웃게 한다. (laugh, makes, me)

He _____.

02 나는 1시간 전에 그녀가 떠나는 것을 보았다. (leave, I, her, saw)

_____ an hour ago.

03 그들은 아이들이 밖에서 노는 것을 허락했다. (outside, let, their kids, play)

They _____.

04 감독은 준서가 공을 차는 것을 보았다. (Junseo, watched, the ball, kick)

The coach _____.

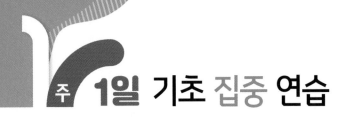
동사에 따라 보어의 품사와 형태가 달라지는 문장에 유의하세요.

> 밑줄 친 부분을 바르게 고쳐 문장 다시 쓰기

01 There is some books in the box.

02 The man and the boy look sadly.

03 His parents made his a pianist.

04 I watched her watered the plants. water the plants 화초에 물을 주다

05 Please let me to use your computer.

주어진 말을 배열하여 쓰기

1주 1일

06 그 빵은 맛이 아주 좋다. (the bread, great, tastes)

07 너는 이 지도가 유용하다는 것을 알게 될 것이다. (this map, useful, find, will, you)

08 제게 소금을 건네주시겠어요? (the salt, pass, me, can, you)

09 도희는 내가 문을 밀게 했다. (the door, Dohee, me, made, push)

10 우리는 그녀가 노래 부르는 것을 들었다. (singing, her, we, heard, a song)

 Self Check 나는 문장 형식에 맞게 주어진 말을 배열하여 문장을 완성할 수 있다. Yes ◯ / No ◯

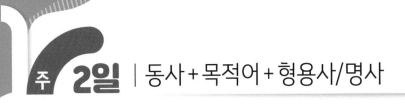

2일 | 동사＋목적어＋형용사/명사

 목적어를 보충 설명해주는 목적격 보어 자리에 형용사나 명사를 갖는 동사들이 있어요.

This movie made me scared.
이 영화는 나를 무섭게 해.

find keep leave make	＋	목적어	＋	형용사(목적격 보어)	···가 ～하다는 것을 알다 ···가 ～하게 유지하다 ···를 ～한 채로 남겨두다 ···를 ～하게 하다

I made my cat a robot. 나는 내 고양이를 로봇으로 만들었어.

I'll call him Rocat. 나는 그를 로켓이라고 부를게.

call choose make name	＋	목적어	＋	명사(목적격 보어)	···를 ～라고 부르다 ···를 ～로 선출하다 ···를 ～로 만들다 ···를 ～라고 이름 짓다

'동사 ＋ 목적어 ＋ 형용사/명사'에 대해 읽고, 영어 문장 속에서 익혀 보세요.

1 형태: 동사＋목적어＋형용사/명사

2 목적격 보어인 형용사 또는 명사가 목적어를 보충 설명

- The refrigerator keeps the food fresh. 냉장고는 음식을 신선하게 유지한다.

- James made his son an artist. James는 그의 아들을 예술가로 만들었다.

개념 원리 확인

○Answers p. 2

A 목적어에 동그라미표를 하고, 목적격 보어에 밑줄 치기

01 They chose Melissa the president. 🐱 president 회장

02 Everybody called me Jackie.

03 She found the novel interesting.

04 We decided to name the group Stars.

05 The man kept everyone silent. 🐱 silent 침묵을 지키는, 조용한

06 This food made my sister sick.

B 알맞은 말 고르기

01 Please don't call me (a liar / lied). 🐱 liar 거짓말쟁이

02 The jacket kept her (warm / warmly). 🐱 warm 따뜻한(형용사), warmly 따뜻하게(부사)

03 Mr. Brown named (his / him) Thompson.

04 Jenny and I found the book (difficulty / difficult).

05 I want to choose Jessica the (lead / leader).

06 Can you leave the front door (open / opens)?

want ask tell expect follow	+	목적어	+	to부정사(목적격보어)	···가 ~하기를 원하다 ···에게 ~해 달라고 부탁하다 ···에게 ~하라고 말하다 ···가 ~하리라고 기대하다 ···가 ~하도록 허락하다

'동사 + 목적어 + to부정사'에 대해 읽고, 영어 문장 속에서 익혀 보세요.

1 형태: 동사 + 목적어 + to부정사

2 목적격 보어인 to부정사가 목적어의 상태나 동작을 보충 설명

- **My parents want me to stay at home.** 부모님은 내가 집에 머물러 있길 원하신다.

- **Jeff expected us to visit him soon.** Jeff는 우리가 그를 곧 방문하리라고 기대했다.

개념 원리 확인

o Answers p. 3

A 목적어에 동그라미 표를 하고, 목적격 보어에 밑줄 치기

01 Don't tell me to smile more.

02 You should ask the kids to be quiet.

03 What does the coach want us to do next?

04 Do you expect him to fix the machine?

05 The teacher allowed her to go to the nurse's office. nurse's office 보건실

B 주어진 말을 활용하여 문장 완성하기

01 아빠는 우리가 일찍 일어나기를 원하셨다. (wanted, get up)

Dad [＿＿＿＿＿＿＿＿＿＿＿＿＿＿＿] early.

02 그녀는 그들이 영화 보러 가는 것을 허락했다. (allowed, go)

She [＿＿＿＿＿＿＿＿＿＿＿＿＿＿＿] to the movies.

03 나는 내 남동생이 설거지를 하리라고 기대하지 않았다. (expect, wash)

I didn't [＿＿＿＿＿＿＿＿＿＿＿＿＿＿＿] the dishes.

04 민지는 종종 내게 펜을 빌려달라고 부탁한다. (asks, lend) lend 빌려주다

Minji often [＿＿＿＿＿＿＿＿＿＿＿＿＿＿＿] a pen.

05 William 선생님은 그에게 책을 많이 읽으라고 말했다. (told, read)

Ms. William [＿＿＿＿＿＿＿＿＿＿＿＿＿＿＿] a lot of books.

주 2일 기초 집중 연습

목적격 보어에 형용사/명사 또는 to부정사가 오는 동사들이 무엇인지 기억해 보세요.

01 내 남동생이 그 방을 엉망으로 만들었다. (made, messy)

My brother _____.

02 그녀는 우리에게 회의에 참석하라고 말했다. (told, attend the meeting)

She _____.

03 나는 Helen에게 책들을 반납해달라고 부탁했다. (asked, return the books) 🐱 return 반납하다

I _____.

04 그 과학자는 그 로봇을 Big이라고 이름 지었다. (named, Big)

The scientist _____.

05 우리는 그 영화가 재미있다는 것을 알았다. (found, funny)

We _____.

Self Check 나는 목적격 보어의 형태를 바르게 쓸 수 있다. Yes ○ / No ○

주어진 말을 배열하여 쓰기

1주
2일

06 우리는 날씨가 따뜻하리라고 기대했다. (warm, expected, to be, the weather)

We _____.

07 연습은 그녀를 훌륭한 피아노 연주가로 만들었다. (great, her, made, a, pianist)

Practice _____.

08 엄마는 항상 부엌을 깨끗하게 유지하신다. (the kitchen, always, keeps, clean)

My mom _____.

09 Peter는 책상을 정돈된 채로 남겨둔다. (his desk, tidy, leaves) tidy 잘 정돈된, 깔끔한

Peter _____.

10 의사는 Lucy가 퇴원하도록 허락하지 않았다. (the hospital, didn't allow, to leave, Lucy)

The doctor _____.

Self Check 나는 목적격 보어가 쓰인 문장을 완성할 수 있다. Yes ◯ / No ◯

 관계대명사는 '접속사＋대명사'의 역할을 하며 선행사를 수식해요.
역할에 따라 주격, 목적격, 소유격으로 나뉘며, 선행사에 따라 다르게 써요.

선행사	주격	목적격	소유격
사람일 때	who, that	who(m), that	whose
사물, 동물일 때	which, that	which, that	whose, of which

주격 → 동사는 선행사의 인칭과 수에 일치시켜요.
I met the boy who was from New York. 나는 뉴욕 출신인 소년을 만났다.
선행사(사람) 주어 역할

목적격 → 목적격 관계대명사는 생략할 수 있어요.
This chair which I made is comfortable. 내가 만든 이 의자는 편안하다.
선행사(사물) 목적어 역할

소유격 Can you see the cat whose eyes are blue? 눈이 파란색인 고양이가 보이니?
선행사(동물) 소유격 역할

- 주격 관계대명사: 선행사＋who / which / that＋동사
- 목적격 관계대명사: 선행사＋who(m) / which / that＋주어＋동사
- 소유격 관계대명사: 선행사＋whose / of which＋명사

관계대명사에 대해 읽고, 영어 문장 속에서 익혀 보세요.

관계대명사는 접속사와 대명사 역할을 하여 두 문장을 연결하며, 선행사를 수식한다.

주격 He made a cake which looked delicious. 그는 맛있어 보이는 케이크를 만들었다.

목적격 Mark whom we know is very smart. 우리가 아는 Mark는 매우 똑똑하다.

소유격 She has a dog whose name is Coco. 그녀는 이름이 Coco인 개가 있다.

개념 원리 확인

○Answers p. 4

A 선행사에 동그라미표를 한 후, 밑줄 친 관계대명사 역할에 ☑표 하기

01 This is the TV show <u>that</u> we watch on weekends. ☐ 주격 ☐ 목적격 ☐ 소유격

02 Emma read a book <u>which</u> was about politics. ☐ 주격 ☐ 목적격 ☐ 소유격

🐱 politics 정치

03 He has a bag <u>whose</u> color is orange. ☐ 주격 ☐ 목적격 ☐ 소유격

04 The bus <u>that</u> goes to the market came early. ☐ 주격 ☐ 목적격 ☐ 소유격

05 Do you know that woman <u>whose</u> job is a writer? ☐ 주격 ☐ 목적격 ☐ 소유격

06 I cannot find the pen <u>which</u> Judy gave me. ☐ 주격 ☐ 목적격 ☐ 소유격

B 알맞은 말 고르기

01 Don't touch the dog (that / whose) fur is brown.

02 Do you like the jacket (that / whom) you bought?

03 The museum (who / which) they want to visit is open today.

🐱 이 문장의 주어는 The museum, 동사는 is예요.

04 There are some books (that / who) are written in English.

05 The nurse (whose / whom) he saw yesterday was my sister.

06 The chef is my uncle (whose / which) restaurant is very famous.

Is this what you're looking for?
= Is this the thing which you're looking for?

관계대명사 what

* 의미: ~ 하는 것
* 형태: what (+ 주어)+ 동사
  선행사를 포함하는 관계대명사로,
  the thing(s) which / that으로 바꿔 쓸 수 있음
* 쓰임: what이 이끄는 절은 문장에서
  주어, 보어, 목적어 역할을 한다.

관계대명사 what을 영어 문장 속에서 익혀 보세요.

| 주어 역할 | <u>What he heard</u> was true. 그가 들은 것은 사실이었다. |

| 목적어 역할 | This cap is <u>what I want to buy.</u> 이 모자는 내가 사고 싶은 것이다. |

| 보어 역할 | They couldn't believe <u>what I said.</u> 그들은 내가 말한 것을 믿을 수 없었다. |

A 밑줄 친 부분의 우리말 뜻 쓰기

01 These are <u>what Jason wants to buy</u>.

02 Did you understand <u>what he explained</u>?

03 <u>What she had for lunch</u> was pasta.

04 That bike is <u>what I decided to buy</u>.

05 <u>What we need</u> is to take action.

🐱 take action 조치를 취하다

1주

3일

B 주어진 말을 배열하여 쓰기

01 그는 우리가 해야 하는 것을 말했다. (should, do, we, what)

He said [   ].

02 그가 부엌에서 만들고 있는 것을 내게 말해줘. (is making, what, he)

Tell me [   ] in the kitchen.

03 이 편지는 내 남동생이 쓴 것이 아니었다. (wrote, what, my brother)

This letter wasn't [   ].

04 Jenny에게 필요했던 것은 쿠키를 굽는 것이었다. (Jenny, what, needed)

[   ] was baking cookies.

05 네 친구들은 네가 그들을 위해 요리한 것을 좋아했니? (you, cooked, what)

Did your friends like [   ] for them?

관계대명사가 문장에서 어떤
역할을 하는지 파악해보세요.

> **주어진 관계대명사를 이용하여 한 문장으로 바꿔 쓰기**

01
Dad fixed the computer. I broke it last week. (that)

Dad fixed the computer _____ .

02
Harry saw the tree. The tree's branches were thin. (whose)

Harry saw the tree _____ .

03
My smartphone is a thing. I need the thing every day. (what)

My smartphone is _____ .

04
We helped the old woman. She lived next door. (who)

We helped the old woman _____ .

05
You knew my sister. We met her on the elevator. (whom)

You knew my sister _____ .

 Self Check 나는 관계대명사를 이용하여 두 문장을 한 문장으로 바꿔 쓸 수 있다. Yes ○ / No ○

주어진 말을 배열하여 쓰기

06

그녀는 내게 그녀가 어제 산 것을 보여 주었다. (yesterday, she, what, bought)

She showed me _____.

07

Chris는 어젯밤에 봤던 영화가 마음에 들었다. (last night, that, watched, he)

Chris liked the movie _____.

08

탁자 위에 있는 가방을 내게 가져다 주세요. (which, the table, is, on)

Please bring me the bag _____.

09

그는 지붕이 초록색인 집에서 나왔다. (roof, green, whose, was)

He came out from the house _____.

10

이것이 오늘 아침에 우리에게 일어난 것이다. (to us, what, in the morning, happened)

This is _____.

 Self Check 나는 관계대명사 문장을 완성할 수 있다. Yes ○ / No ○

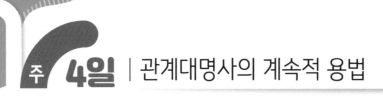

한정적 용법   I have a sister (who) is a soccer player. 나는 축구 선수인 여동생이 있다.
(여동생이 한 명 이상일 수 있음.)

계속적 용법   I have a sister, (who) is a soccer player. 나는 여동생이 한 명 있는데,
= I have a sister, and she is a soccer player. 그녀는 축구 선수이다.

관계대명사의 계속적 용법에 대해 읽고, 영어 문장 속에서 익혀 보세요.

1 형태: 콤마(,)+who/which/whose

2 쓰임: 관계대명사절이 선행사를 보충 설명

- Sue, who lives next door, has two dogs.   Sue는 옆집에 사는데, 개가 두 마리 있다.

- Joe read a book, which he bought yesterday.   Joe는 책을 읽었는데, 그는 그것을 어제 샀다.

개념 원리 확인

○ Answers p. 5

A 알맞은 말 고르기

01 He has an uncle, (who / whom) is a musician.

🐱 musician 음악가

02 The bag, (whose / who) color is red, is cheap.

03 She likes David, (whom / which) she invited to dinner.

04 Nick, (that / who) I saw on the subway, is a famous actor.

05 My grandmother, (who / which) lives in Rome, has five grandchildren.

06 Namsu is wearing a T-shirt, (which / that) is too big for him.

B who, which, whose 중 알맞은 관계대명사 쓰기

01 My sister gave me her bike, [   ] had a basket.

02 Alex, [   ] Mom is a chef, has a nice house.

03 The roses, [   ] Ryan gave me, looked beautiful.

04 The man, [   ] gave a speech, is my father.

🐱 give a speech 연설하다

05 Sam showed me the pictures, [   ] he took in Mexico.

06 I went into the building, [   ] is the tallest in Hong Kong.

관계부사는 접속사와 부사의 역할을 동시에 하며, 관계대명사처럼
관계부사가 이끄는 절이 선행사를 수식해요.

when 선행사가 '때'를 나타낼 때

Sundays are **the days** **when** he plays soccer.
　　　　　선행사
일요일은 그가 축구를 하는 날이다.

where 선행사가 '장소'를 나타낼 때

This is **the house** **where** he used to live.
　　　　선행사
이곳이 그가 살던 집이다.

why 선행사가 '이유'를 나타낼 때

He told me the reason **why** he cried.
그는 내게 울었던 이유를 말해주었다.

how 선행사가 '방법'을 나타낼 때   how는 선행사 the way와 함께 쓸 수 없어요.

He showed me **how** he did yoga.
= He showed me **the way** he did yoga.
그는 내게 요가를 하는 방법을 보여주었다.

관계부사를 영어 문장 속에서 익혀 보세요.

- I remember the time **when** we first met. 나는 우리가 처음 만났을 때를 기억한다.

- The restaurant **where** they went is famous. 그들이 갔던 식당은 유명하다.

- Tell me the reason **why** Jack left early. Jack이 일찍 떠난 이유를 내게 말해줘.

- He didn't know **how** we fixed it. 그는 우리가 그것을 어떻게 고쳤는지 알지 못했다.

개념 원리 확인

○ Answers p. 5

A 알맞은 말 고르기

01 London is the city (how / where) he was born.

02 The video shows (why / how) you use the machine.
   🐱 선행사와 함께 쓸 수 없는 관계부사를 생각해 보세요.

03 Do you know the reason (why / when) she was upset?

04 July is the month (when / how) Ted goes on a vacation.

05 Is this (the place / the reason) where you lost your dog?

06 They don't know (the time / the way) he solved the problem.

B 알맞은 말 골라 쓰기

why	when	the reason	where

01 나는 그 가게가 문을 닫았던 이유를 알고 싶다.

   I want to know _____ why the store closed.

02 우리가 지난 주말에 간 동물원은 매우 컸다.

   The zoo _____ we went last weekend was very big. 🐱 이 문장의 동사는 was예요.

03 4시 20분은 우리의 버스가 떠나는 시간이다.

   Four twenty is the time _____ our bus leaves.

04 네가 창문을 모두 닫아 놓은 이유가 있니?

   Is there any reason _____ you closed all the windows?

4일 기초 집중 연습

계속적 용법의 관계대명사는 선행사를 보충 설명해요.

> **계속적 용법의 관계대명사를 이용하여 두 문장을 한 문장으로 바꿔 쓰기**

01

The chef made pasta, and everybody liked it. (which)

The chef made pasta, _____.

02

We met a scientist, and he received the Nobel Prize. (who) receive 받다

We met a scientist, _____.

03

Eric sold the car, and he bought it in 1980. (which)

Eric sold the car, _____.

04

I called Anne, and Anne's sister was a science teacher. (whose)

I called Anne, _____.

05

Emma has a friend, and he is a famous singer. (who)

Emma has a friend, _____.

 Self Check 나는 관계대명사를 사용하여 두 문장을 한 문장으로 쓸 수 있다. Yes ○ / No ○

주어진 말을 배열하여 쓰기

1
주

4일

06
겨울은 눈이 내리는 계절이다. (it, the season, when, snows)

Winter is _____.

07
시험을 잘 본 비결을 내게 말해 줘. (on the test, did, well, how, you)

Tell me _____.

08
이 곳은 내 조부모님께서 사시는 마을이다. (where, my grandparents, live, the town)

This is _____.

09
그는 내게 그가 왜 집에 늦게 왔는지 절대로 말하지 않았다. (late, why, came, home, he)

He never told me _____.

10
내가 어떻게 공항으로 갈 수 있는지 알려줘. (I, get to, how, the airport, can)

Let me know _____.

 Self Check 나는 관계부사가 있는 문장을 완성할 수 있다. Yes ◯ / No ◯

 접속사 that이 이끄는 절은 문장에서 주어, 보어, 목적어 역할을 해요.
접속사 that 뒤에는 '주어+동사' 형태의 완전한 문장이 와요.

주어

That my cat ate all the fish
내 고양이가 모든 물고기를 먹은 것은

is true.
사실이다

= It is true that my cat ate all the fish.
접속사 that이 이끄는 절이 주어 역할을 할 때는 it ~ that 구문으로 바꿔 쓸 수 있어요.

The problem is
문제는 ~이다

보어

that my cat wants more.
내 고양이가 더 원한다는 것

I know
나는 안다

목적어

(that) cats love fish.
고양이가 물고기를 좋아하는 것을

접속사 that

* 의미: ~ 하는 것
* 형태: that + 주어 + 동사
* 쓰임: that이 이끄는 절은 문장에서 주어, 보어, 목적어 역할

접속사 that을 영어 문장 속에서 익혀 보세요.

| 주어 역할 | That I lost my cellphone is the fact. 내가 휴대폰을 잃어버린 것은 사실이다. |

| 보어 역할 | The problem is that I don't remember his name. |

문제는 내가 그의 이름을 기억하지 못하는 것이다.

| 목적어 역할 | I learned that this lake is deep. 나는 이 호수가 깊다는 것을 알았다. |

개념 원리 확인

○ Answers p. 6

A 접속사 that이 들어갈 곳에 ☑표 하기

01 The fact ☐ is ☐ they ☐ lost ☐ the game.

02 She ☐ believed ☐ the Earth ☐ is ☐ round.

03 The trouble ☐ was ☐ they ☐ arrived ☐ too late.

04 I ☐ think ☐ science ☐ is an interesting ☐ subject.

05 They ☐ realized ☐ climbing ☐ is ☐ dangerous. 🐱 realize 깨닫다

06 It is ☐ true ☐ he is ☐ the tallest man ☐ in his classroom.

B 밑줄 친 부분이 문장에서 하는 역할 고르기

01 It is strange <u>that Jane passed the exam.</u> (주어 / 보어 / 목적어)
🐱 strange 이상한

02 The problem was <u>that he didn't like the smell.</u> (주어 / 보어 / 목적어)

03 I think <u>that I'm good at fixing things.</u> (주어 / 보어 / 목적어)

04 The important fact is <u>that we only have one chance.</u> (주어 / 보어 / 목적어)

05 <u>That he often tells a lie</u> is not true. 🐱 tell a lie 거짓말하다 (주어 / 보어 / 목적어)

06 She guessed <u>that the baby likes the toy.</u> 🐱 guess 추측하다 (주어 / 보어 / 목적어)

* 형식: It is / was + 강조할 내용 + that + 강조할 내용을 뺀 나머지.
  └ 여기에 주어, 목적어, 부사(구) 중 강조할 내용 넣기
  동사는 강조할 수 없기 때문에 여기에 쓸 수 없어요.

* 의미: …한 것은 바로 ~이다/이었다

It ~ that 강조 구문을 문장 속에서 익혀 보세요.

Tom met Sua in the library yesterday. Tom은 어제 도서관에서 수아를 만났다.

주어 강조	It was Tom that met Sua in the library yesterday.
목적어 강조	It was Sua that Tom met in the library yesterday.
부사(시간) 강조	It was yesterday that Tom met Sua in the library.
부사구(장소) 강조	It was in the library that Tom met Sua yesterday.

A 개념 다지기

The boy broke the window.에서 'the boy'를 강조해서 말하면?

It was **01** [＿＿＿＿＿＿＿] that broke the window.

'the window'를 강조하면, It was **02** [＿＿＿＿＿＿＿] that the boy broke.

맞아. It과 **03** [＿＿＿＿＿＿＿] 사이에 강조할 말을 넣으면 돼.

B 밑줄 친 부분을 강조하는 문장 완성하기

01 Shakespeare was born <u>in 1564</u>.

It was [＿＿＿＿＿＿＿＿＿＿＿＿＿＿＿＿＿＿＿＿＿＿＿＿＿＿].

02 <u>Mt. Everest</u> is the highest mountain in the world.

It is [＿＿＿＿＿＿＿＿＿＿＿＿＿＿＿＿＿＿＿＿＿＿＿＿＿＿].

03 He missed <u>the school bus</u> this morning.

It was [＿＿＿＿＿＿＿＿＿＿＿＿＿＿＿＿＿＿＿＿＿＿＿＿＿＿].

04 I exercise <u>three times a week</u>. three times a week 일주일에 세 번

It is [＿＿＿＿＿＿＿＿＿＿＿＿＿＿＿＿＿＿＿＿＿＿＿＿＿＿].

05 There was <u>a nice restaurant</u> around the corner.

It was [＿＿＿＿＿＿＿＿＿＿＿＿＿＿＿＿＿＿＿＿＿＿＿＿＿＿].

접속사 that이 이끄는 절은 문장에서
주어, 보어, 목적어 역할을 해요.

> **주어진 말을 배열하여 쓰기**

01

나는 내 여동생이 수학을 잘한다고 생각한다. (is good at, my sister, that, math)

I think _____.

02

그녀가 세계 일주를 한 것은 사실이었다. (she, around the world, traveled, that)

It was true _____.

03

사실은 지구가 태양 주변을 돈다는 것이다. (the Earth, that, goes, around the Sun)

The fact is _____.

04

그가 우리의 약속을 어겼다니 놀랍다. (he, our promises, broke, that) break a promise 약속을 어기다

It was surprising _____.

05

너는 그가 브라질 출신이라는 것을 아니? (comes from, he, Brazil, that)

Do you know _____?

 Self Check 나는 접속사 that이 있는 문장을 완성할 수 있다. Yes ◯ / No ◯

> **조건에 맞게 문장 완성하기**

주

5일

06

an ostrich 강조

An ostrich is the tallest bird. ostrich 타조

_____ is the tallest bird.

07

Minju 강조

Minju bought the bread at the bakery.

_____ bought the bread at the bakery.

08

cooking 강조

I teach cooking to students.

_____ I teach to students.

09

on Mondays 강조

He takes a badminton lesson on Mondays.

_____ he takes a badminton lesson.

10

Chinese 강조

She learned Chinese when she was 7.

_____ she learned when she was 7.

 Self Check 나는 it ~ that 강조 구문을 바르게 쓸 수 있다. Yes ◯ / No ◯

▶ 보라색 글자에 유의하며, 만화를 읽어 봅시다.

① It's snowing. I want to make a snowman.

② Do you want me to help you?

Thanks.

③ It'll keep you warm.

④ 5시간 후… I watch the snowman melting.

해석

① 눈이 내리고 있다. 나는 눈사람을 만들고 싶다.
② 남: 내가 너를 도와주길 원하니?
　　여: 고마워.
③ 여: 이게 너를 따뜻하게 해 줄 거야.
④ 나는 눈사람이 녹고 있는 것을 본다.

'want＋to부정사'는 '~하기를 원하다'라는 3형식 문장이고, 'want＋목적어＋to부정사'는 '(목적어)가 ~하기를 원하다' 라는 5형식 문장이에요. keep은 목적격 보어로 형용사를 갖는 동사예요.

▶ 보라색 글자에 유의하며, 만화를 읽어 봅시다.

①

I have a dog, whose name is Toby.

②

It was under the truck that I first saw him.

③

Toby does what I say to do.

손!

④

The problem is that he eats too much.

BURP~

해석

❶ 나는 개가 한 마리 있는데, 이름이 Toby이다.
❷ 내가 그를 처음 본 것은 트럭 아래에서였다.
❸ Toby는 내가 하라고 말하는 것을 한다.
❹ 문제는 그가 너무 많이 먹는 것이다.

'콤마(,) + 관계대명사' 형태로 쓰이는 계속적 용법의 관계대명사가 이끄는 절은 선행사를 보충 설명해요.
어떤 말을 강조할 때는 'It is/was + 강조할 내용 + that ~' 형태로 써요.

A 그림을 보고, 주어진 말을 배열하여 써 봅시다.

1

2

3

1 A: The movie ⬚. (me, made, scared)

그 영화는 나를 겁먹게 했어.

B: You can say that again.

전적으로 동의해.

2 A: I made my cat a robot.

나는 내 고양이를 로봇으로 만들었어.

B: Oh, I like it. Let's ⬚. (it, call, Rocat)

오, 마음에 들어. 그것을 로켓이라고 부르자.

3 A: Jiwon, I ⬚ the dog. (walk, you, to, want)

지원아, 나는 네가 개를 산책시키기를 원한단다.

B: Okay, I will.

네, 그럴게요.

B 주어진 길을 따라 고양이가 도착할 수 있도록 화살표의 지시대로 문제를 풀어 봅시다.

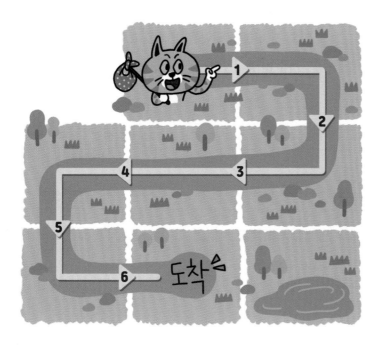

> ▷ 관계부사 쓰기
> ▽ 알맞은 말 고르기
> ◁ 밑줄 친 말을 it ~ that
>   강조 구문으로 쓰기

1 January 4 is the day [   ] we first met. ▷

2 I allowed him (use / to use) my pen. ▽

3 Jane wants to be <u>an astronaut</u> in the future. ◁

[   ] in the future.

4 They got married <u>in a small church</u>. ◁

[   ] they got married.

5 Dad told us (climb / to climb) the mountain once a month. ▽

6 I know the reason [   ] they were late. ▷

C 번호를 따라가며 문제를 풀어 봅시다.

START

1

밑줄 친 부분을 알맞은 형태로 고쳐 쓰기

He had Jane to finish her homework.

➡ _____

2

관계대명사를 이용하여 두 문장을 한 문장으로 쓰기

I met a girl. She wore a blue cap.

➡ I met a girl _____.

4

We know (the way / why)

Janet bakes cookies.

우리는 Janet이 어떻게 쿠키를 굽는지 안다.

3

Minju found the book

(easy / easily).

민주는 그 책이 쉽다는 것을 알았다.

5

그는 내게 문을 닫아 달라고 부탁했다.

He asked me _____ _____

the door.

6

주어진 말을 배열하여 쓰기

나는 내 책상을 항상 깨끗하게 유지한다.

(I, my desk, clean, always, keep)

➡ _____

7

He has a cat (that / whose)
fur is grey.

8

밑줄 친 부분을 우리말로 쓰기

What I want to have is a nice
backpack.

➡ _____

10

The flowers, (which / whose) I
bought in the morning, smelled great.

9

주어진 말을 배열하여 쓰기

그 이야기는 나를 놀라게 했다.

(the story, made, surprised, me)

➡ _____

11

밑줄 친 부분을 강조하여 쓰기

He finished his painting in 1920.

➡ It was _____ .

12

주어진 말을 배열하여 쓰기

우리가 어제 간 영화관은 작았다.

(yesterday, where, we, went, the theater)

➡ _____ was small.

FINISH

누구나 100점 테스트

[01-02] 올바른 문장을 골라 봅시다.

01

a. I watched the dolphin jumping out of the water.

b. They let their kids played outside.

02

a. The jacket kept her warmly.

b. Jenny and I found the book difficult.

[03-05] 밑줄 친 부분을 바르게 고쳐 문장을 다시 써 봅시다.

03

Dad wanted me <u>get</u> up early.

○ _____

04

Do you know the woman <u>which</u> job is a writer?

○ _____

05

There are some books <u>who</u> are written in English.

○ _____

[06-07] 주어진 말을 바르게 배열하여 써 봅시다.

06

그녀가 점심으로 먹은 것은 파스타였다. (she, for, what, had, lunch)

was pasta.

07

Sam은 내게 사진을 보여줬는데, 그는 그것들을 멕시코에서 찍었다. (in Mexico, took, which, he)

Sam showed me the pictures, .

[08-10] 괄호 안에서 알맞은 말을 골라 문장을 다시 써 봅시다.

08

Four twenty is the time (when / where) our bus leaves.

➲

4시 20분 출발

09

It is strange (what / that) Jane passed the exam.

➲

10

It was in 1564 (that / whose) Shakespeare was born.

➲

🔍 **알아두면 좋은 용어** 현재완료, 현재완료진행, 과거완료

have + 과거분사

현재완료

We **have danced** for two hours.

춤을 춰 왔다　　　　두 시간 동안

2시간째
댄스댄스 ♫

현재완료는 'have/has + 과거분사' 형태로,
과거에 일어난 일이 현재까지 영향을 줄 때 써요.

have been + 현재분사

현재완료진행

I **have been swimming** since 5 o'clock.

수영하고 있는 중이다　　　　다섯 시 이후로

현재완료진행은 'have/has been + 현재분사'의 형태로,
과거의 일이 현재까지 계속 진행되고 있다는 것을 강조할 때 써요.

had + 과거분사

과거완료

I **had eaten** the cake.

먹었다　　　그 케이크를

과거완료는 'had + 과거분사'의 형태로, 과거의 어느 시점보다
앞서 일어난 일이 과거의 상황에 영향을 미칠 때 써요.

for+목적격   to부정사

to부정사의 의미상 주어

It is easy   for her   to play   tennis.

쉽다   그녀가   치는 것은   테니스를

문장의 주어와 to부정사의 행위의 주체가 다를 때,
to부정사의 의미상 주어를 'for+목적격' 형태로 to부정사 앞에 써요.

소유격   동명사   I like   his   singing .

동명사의 의미상 주어   나는 좋아한다   그가   노래하는 것을

문장의 주어와 동명사의 행위의 주체가 다를 때,
동명사의 의미상 주어를 동명사 앞에 소유격으로 써요.

2주

1일	● 현재완료	● 과거완료
2일	● 현재진행	● 현재완료진행
3일	● to부정사	● to부정사의 의미상 주어
4일	● 동명사와 동명사의 의미상 주어	● 동명사의 여러 가지 표현
5일	● 현재분사와 과거분사	● 분사구문

현재완료

과거에 일어난 일이 현재까지 영향을 줄 때 쓴다.

He has baked bread for an hour.

그는 한 시간 동안 빵을 구워 오고 있다.

과거완료

과거의 어느 시점보다 앞서 일어난 일이 그때까지 계속되거나 완료된 것을 나타낸다.

She said the bus had left.

그녀는 버스가 떠났다고 말했다.

○ Answers **p. 9**

❷-1 현재완료 또는 과거완료에 밑줄을 쳐 봅시다.

01   She has finished her homework.

02   Jimin said that she had met a friend.

03   The old lady has watched TV for an hour.

04   We have studied English since 2010.

05   When I got home, my sister had eaten lunch.

06   He told his mother that he had broken the plate.

의미상 주어

to부정사의 의미상 주어: to부정사 앞에 쓰여 to부정사의 행위의 주체를 나타낸다.
동명사의 의미상 주어: 동명사 앞에 쓰여 동명사의 행위의 주체를 나타낸다.

It's hard **for me** to listen to his music.
내가 그의 음악을 듣는 것은 힘들다.
I hate **his** singing loudly.
나는 그가 크게 노래하는 것을 싫어한다.

○ Answers p. 9

2-2 to부정사 또는 동명사의 의미상 주어에 밑줄을 쳐 봅시다.

01 It is easy for me to answer the question.

02 It was difficult for Hojin to find the book.

03 We're sure of his passing the exam.

04 Do you mind my closing the door?

05 It is hard for him to drive a car.

06 I don't like their shouting at me.

현재완료는 'have / has＋과거분사'의 형태로 과거에 시작한 일이 현재까지 영향을 줄 때 사용해요.

과거 과거의 상황

현재완료 과거의 한 시점에 시작해서 현재까지 계속되거나 완료된 상황

I baked a cake.
나는 케이크를 구웠다.

I have baked a cake.
나는 케이크를 굽고 있다.

현재완료는 계속, 완료, 경험, 결과를 나타내요.
yesterday, ago와 같이 과거를 나타내는 말과 함께 쓸 수 없는 것에 유의해요.

계속 I have waited for my plane for an hour.
나는 한 시간 동안 비행기를 기다리고 있다.

완료 The plane has just left. 비행기가 막 떠났다.

경험 I have been to Europe.
나는 유럽에 가본 적이 있다.

결과 My friend has gone to L.A.
내 친구가 L.A로 가버렸다.

현재완료를 영어 문장 속에서 익혀 보세요.

계속 She **has been** sick since last night. 그녀는 어젯밤부터 아프다.

완료 The movie **hasn't started** yet. 영화는 아직 시작하지 않았다.

경험 I **haven't ridden** a horse before. 나는 전에 승마를 해본 적이 없다.

결과 My daughter **has lost** her passport. 내 딸은 여권을 잃어버렸다.

개념 원리 확인

o Answers p. 9

A 현재완료의 용법 골라 쓰기

ⓐ 완료	ⓑ 경험	ⓒ 결과	ⓓ 계속

01 Wilson has read books for two hours.

🐱 for 뒤에는 기간, since 뒤에는 과거의 한 시점을 나타내는 표현이 와요.

02 Rosa has lost her suitcase at the station.

🐱 주어가 3인칭 일 때 has를 써요.

03 We've been to Daejeon before. 🐱 We've = We have

04 They haven't finished painting the wall yet. 🐱 haven't = have not

05 I've seen the musical twice.

> 동사를 'have/has + 과거분사'로
> 바꾸어 쓰세요.

B 주어진 말을 활용하여 현재완료 문장 완성하기

01 우유가 상했다. (go bad) 🐱 go bad 상하다

The milk [   ].

02 우리는 그 도시를 한 번 방문한 적이 있다. (visit)

We [   ] the city once.

03 나는 지난 달 이후로 세차를 하지 않았다. (not, wash)

I [   ] the car since last month. 🐱 since ~ 이후로

04 그가 아직 네게 전화하지 않았니? (call)

[   ] you yet? 🐱 현재완료 의문문: Have/Has + 주어 + 과거분사 ~?

과거완료에 대해 읽고, 영어 문장 속에서 익혀 보세요.

1 형태: had+과거분사   부정은 had 뒤에 not을 써요.

2 쓰임: 과거의 어느 시점보다 앞서 일어난 일이 과거의 상황에 영향을 미칠 때 쓴다.

- **He said he had met his classmate.** 그는 반 친구를 만났다고 말했다.

- **I lost the umbrella that I had bought a week ago.** 나는 일주일 전에 산 우산을 잃어버렸다.

개념 원리 확인

○ Answers p. 10

A 밑줄 친 부분을 바르게 고쳐 쓰기

01 When we got to the station, the train <u>have</u> already arrived.

🐱 already 이미

02 Before they moved here, they <u>live</u> in Sydney.

03 She broke the vase that she <u>made</u> last week.

04 He said that he <u>hasn't</u> ridden a roller coaster before.

🐱 ride(타다) – rode – ridden

05 I dried the dishes after I <u>washed</u> them.

🐱 them = the dishes

B 주어진 말을 과거완료로 쓰기

01 그는 내가 오늘 아침에 구운 치즈케이크를 먹었다. (bake)

He ate the cheesecake that I ⬚ this morning.

02 우리 선생님은 우리에게 아프리카에 두 번 가봤다고 말씀하셨다. (be)

My teacher told us that she ⬚ to Africa twice.

03 Amy는 그녀가 지난 주말에 산 모자를 내게 보여주었다. (buy)

Amy showed me the hat that she ⬚ last weekend.

04 우리가 좌석을 찾기 전에 공연이 시작됐다. (begin)

Before we found our seats, the show ⬚.

05 그녀가 경기장에 도착했을 때, 표는 매진되어 있었다. (sell)

When she arrived at the stadium, the tickets ⬚ out.

2주 1일 기초 집중 연습

> 현재완료는 'have/has + 과거분사'로,
> 과거완료는 'had + 과거분사'로 써요.

> **주어진 말을 활용하여 문장 완성하기**

01

Jason이 창문을 열었을 때, 눈이 많이 내려있었다. (it, snow)

When Jason opened the window, _____ a lot.

🐱 날씨를 나타낼 때는 비인칭 주어 it을 써서 표현해요.

02

너는 새 이웃들을 만난 적이 있니? (ever, meet)

_____ your new neighbors?

03

Kate가 방에 들어오기 전에 컵이 이미 깨져 있었다. (already, break)

Before Kate got into the room, _____.

04

그는 8년째 스페인어를 공부하고 있다. (study, Spanish)

_____ for eight years.

05

나는 내 모든 돈을 써 버렸기 때문에 그 가방을 살 수 없었다. (spend, all my money)

I couldn't buy the bag because _____.

 Self Check 나는 현재완료와 과거완료를 구별하여 쓸 수 있다. Yes ◯ / No ◯

주어진 말을 배열하여 쓰기

06 나는 내 휴대전화를 집에 두고 왔다. (my cellphone, left, at home, I've)

07 그들이 그녀를 방문했을 때 그녀는 이미 요리를 끝냈다. (already, had, she, finished, cooking)

when they visited her.

08 그녀는 그 책을 읽어보지 않았다고 말했다. (not, she, the book, had, read)

She said that .

09 우리는 여섯 시부터 농구 연습을 하고 있다. (six o'clock, practiced basketball, we've, since)

10 그는 전에 무지개를 본 적이 없다. (a rainbow, has, before, he, seen, never)

 Self Check 나는 현재완료와 과거완료 문장을 완성할 수 있다. Yes ◯ / No ◯

- 현재 말하는 순간에 진행 중인 동작을 나타낼 때 현재진행형 시제를 써요.

> **am/are/is** + **동사원형 + -ing**

- 상태를 나타내는 동사는 진행형으로 쓸 수 없어요.

> **상태를 나타내는 동사: like, love, want, hate, know, think**

I'm liking the idea. (×)

- 현재진행 시제는 확실히 정해진 가까운 미래를 나타내기도 해요.
We're leaving in ten minutes. 우리는 10분 안에 떠날 것이다.

현재진행에 대해 읽고, 영어 문장 속에서 익혀 보세요.

1 형태: be동사+동사원형+-ing (~하고 있다, ~하는 중이다)

2 쓰임: 말하고 있는 시점에 진행되고 있는 동작이나 상황을 나타낼 때 쓴다.

- **The cat is climbing the tree.** 고양이가 나무에 올라가고 있다.

- **The employees are wearing green shirts.** 직원들은 초록색 셔츠를 입고 있다.

개념 원리 확인

A 알맞은 말 고르기

01 Melissa is (watched / watching) TV now.

02 They're (works / working) at the art museum.

03 (Are / Is) Kevin and Jason playing basketball?

04 Meg (is not baking / is baking not) an apple pie.
　　　　현재진행형의 부정은 be동사 다음에 not을 써요.

05 The teacher (wants / is wanting) to know the truth.

06 What is the woman (cooks / cooking) in the kitchen?
　　　　의문사가 있는 의문문의 현재진행: 의문사＋be동사＋주어＋동사원형＋-ing ~?

B 현재진행 문장으로 바꿔 쓰기

01 Ben and I feed the cows.

　　⇨ Ben and I ⬚⬚⬚⬚⬚⬚⬚⬚⬚⬚⬚⬚⬚⬚⬚⬚.

02 The men don't run in the park.

　　⇨ The men ⬚⬚⬚⬚⬚⬚⬚⬚⬚⬚⬚⬚⬚⬚⬚⬚.

03 Do the girls help the old man?

　　⇨ ⬚⬚⬚⬚⬚⬚⬚⬚⬚⬚⬚⬚⬚⬚⬚⬚ the old man?

04 The spider makes its web on the ceiling. ceiling 천장

　　⇨ The spider ⬚⬚⬚⬚⬚⬚⬚⬚⬚⬚⬚⬚⬚⬚⬚⬚.

현재완료진행 have/has+been+동사원형+-ing (계속 ~해 오고 있다, ~해 왔다)
주로 for, since 등의 기간을 나타내는 표현과 함께 써요.

현재완료진행을 영어 문장 속에서 익혀 보세요.

- She **has been swimming** since 4 o'clock. 그녀는 4시부터 수영을 해 오고 있다.

- They **have been living** in Seoul for ten years. 그들은 10년 동안 서울에 살고 있다.

- I **have been waiting** for her for an hour. 나는 한 시간째 그녀를 기다리고 있다.

- Max **hasn't been exercising** for a long time. Max는 오랫동안 운동을 하지 않고 있다.

A 알맞은 말 고르기

01 We (have hiking / have been hiking) for five years.

🐱 for 뒤에는 기간을 나타내는 말이 와요.

02 Sam has (be studied / been studying) for an hour.

03 (Has it been / Has been it) raining since this morning?

🐱 since 뒤에는 과거의 한 시점을 나타내는 말이 와요.

04 The writer has been (writing / written) the novel since last year.

05 They have (playing / been playing) the violin for three hours.

06 Joe (hasn't been / not has been) sleeping since 10 p.m.

🐱 hasn't = has not

B 주어진 말을 배열하여 쓰기

01 어젯밤부터 눈이 내리고 있다. (been, has, snowing)

It ⬚ since last night.

02 우리는 두 시간째 저녁을 만들고 있다. (dinner, have, making, been)

We ⬚ for two hours.

03 Molly는 5월부터 스페인어를 배우고 있다. (Spanish, been, has, learning)

Molly ⬚ since May.

04 나는 6년째 안경을 써 오고 있다. (have, glasses, wearing, been)

I ⬚ for six years.

2주 2일 기초 집중 연습

> **주어진 말을 활용하여 문장 완성하기**

01

그들은 손을 씻고 있는 중이다. (wash, their hands)

They _____ .

02

Andrew는 두 시간째 집을 청소하고 있는 중이다. (clean, the house)

Andrew _____ for two hours.

03

남자는 지금 전화 통화를 하고 있는 중이니? (talk)

_____ on the phone now?

04

나는 어제부터 새로운 컴퓨터를 사용해오고 있다. (use, a new computer)

I _____ since yesterday.

05

그녀는 베를린에 15일째 머무르고 있다. (stay)

She _____ in Berlin for 15 days.

 Self Check 나는 현재진행과 현재완료진행을 바르게 쓸 수 있다. Yes ◯ / No ◯

주어진 말을 배열하여 쓰기

06 네 삼촌은 탁자를 옮기고 계시니? (your uncle, the table, moving, is)

07 아빠는 다섯 시부터 저녁을 요리하고 계신다. (since 5 o'clock, has, Dad, cooking dinner, been)

08 아기들은 지금 낮잠을 자고 있지 않다. (taking a nap, are, the babies, not, now)

🐱 take a nap 낮잠을 자다

09 비행기들이 공항에 착륙하고 있다. (at the airport, the planes, landing, are)

10 그는 한 시간째 기타를 연주하고 있니? (for an hour, playing, been, he, the guitar, has)

 Self Check 나는 현재진행과 현재완료진행 문장을 쓸 수 있다. Yes ○ / No ○

2주 3일 | to부정사

 to부정사는 'to＋동사원형'의 형태로 문장에서 명사, 형용사, 부사로 쓰여요.

명사 역할 '～하는 것, ～하기'의 뜻으로, 문장에서 주어, 보어, 목적어 역할을 해요.

To learn new knowledge takes a long time. (주어)
새로운 지식을 배우는 것은 오랜 시간이 걸린다.

My plan is **to learn** new knowledge. (보어)
내 계획은 새로운 지식을 배우는 것이다.

I want **to learn** new knowledge. (목적어)
나는 새로운 지식을 배우고 싶다.

형용사 역할 '～하는, ～할'의 뜻으로, 앞의 명사를 수식해요.

I have many things **to clean.**
나는 청소해야 할 많은 것들이 있다.

Is there anything **to clean** up?
정리할 것이 있니?

부사 역할 '～하기 위해서, ～하다니, ～해서' 등의 뜻으로, 목적, 판단의 근거, 감정의 원인 등을 나타내요.

He came **to tell** the truth. (목적)
그는 진실을 말하기 위해서 왔다.

He must be honest **to tell** the truth. (판단의 근거)
그가 진실을 말하는 걸 보니 정직한 게 틀림없다.

to부정사를 영어 문장 속에서 익혀 보세요.

명사 역할 He decided **to visit** Ulsan. 그는 울산을 방문하기로 결정했다.

형용사 역할 She has many friends **to help** her. 그녀는 그녀를 도와줄 친구가 많다.

부사 역할 I saved money **to buy** new sneakers. 나는 새 운동화를 사기 위해서 돈을 모았다.

개념 원리 확인

○ Answers **p. 12**

A to부정사의 역할에 ☑표 하기

01 It's time <u>to go</u> to school. ☐ 명사 ☐ 형용사 ☐ 부사

02 His new novel is hard <u>to understand</u>. ☐ 명사 ☐ 형용사 ☐ 부사

03 They practiced <u>to pass</u> the test. ☐ 명사 ☐ 형용사 ☐ 부사

04 We have many plants <u>to water</u>. ☐ 명사 ☐ 형용사 ☐ 부사

05 I hope <u>to see</u> famous painters. ☐ 명사 ☐ 형용사 ☐ 부사

06 My friend was happy <u>to find</u> his dog. ☐ 명사 ☐ 형용사 ☐ 부사

2주

3일

B 알맞은 것 고르기

01 I wish not to (make / making) the same mistakes.

　　　🐱 to부정사의 부정은 to부정사 앞에 not을 써요.

02 (Win / To win) the game is important to me.

03 I'm standing here (to wait / wait) for them.

04 He plans (not to eat / to not eat) fast food.

05 Will you give me some time (to think / thinking)?

06 Jimmy was excited (going / to go) back to school.

2주 3일 **65**

to부정사의 의미상 주어에 대해 읽고, 영어 문장 속에서 익혀 보세요.

1 형태: It is + 형용사 + for + A + to부정사 (A가 …하는 것은 ~하다)

2 쓰임: to부정사 동작의 주체를 나타낼 때 'for + 목적격' 형태로 to부정사 앞에 쓴다.

- It is easy for him to speak English. 그가 영어를 말하는 것은 쉽다.
  가주어   진주어
- It is kind of you to help me with my homework. 내가 숙제하는 것을 도와주다니 너는 친절하다.
  가주어   진주어

개념 원리 확인

A 밑줄 친 to부정사의 의미상 주어에 동그라미 표 하기

01 It is difficult for the kid <u>to wash</u> the dog.
　　　🐱 It은 가주어이고 to wash the dog이 진주어예요.

02 It is careless of you <u>to leave</u> the door open.
　　　　🐱 careless 부주의한

03 It was nice of him <u>to help</u> the old lady.

04 It is dangerous for children <u>to swim</u> in the river.

05 It is hard for Mr. Hong <u>to make</u> a decision.
　　　　　　　　🐱 make a decision 결정을 하다

06 It is impossible for me <u>to repair</u> the machine.
　　　　　　　🐱 repair 수리하다

> 사람의 성격이나 태도를 나타내는 kind, nice, wise, careless, foolish, polite 등의 형용사 뒤에는 'of + 목적격'을 써요.

B 알맞은 말 고르기

01 It was rude (for / of) you to say so. 🐱 rude 무례한

02 It is possible (for / of) them to find the answers.

03 It is easy (for / of) the boy to write in English.

04 It is important (for / of) us to get up at 6.

05 It is difficult (for / of) Seojin to solve the problem.

06 It was wise (for / of) her to call the police.

to부정사를 써서
문장을 완성하세요.

> **주어진 말을 활용하여 문장 완성하기**

01

우리는 별을 관측할 좋은 장소를 찾았다. (a good place, see)

We found ⬚ the stars.

02

John은 경주에 지지 않기 위해서 열심히 연습했다. (not, lose)

John practiced hard ⬚ the race.

03

그들은 유럽으로 여행하기를 희망한다. (travel, to Europe)

They wish ⬚ .

04

우리를 방문하다니 너는 친절하다. (you, visit)

It is nice ⬚ us.

05

그들이 제시간에 도착하는 것은 불가능하다. (arrive)

It is impossible ⬚ on time.

Self Check 나는 to부정사를 바르게 사용하여 문장을 완성할 수 있다. Yes ◯ / No ◯

주어진 말을 배열하여 쓰기

06 내가 매일 운동하는 것은 어렵다. (every day, hard, it is, to, for me, exercise)

07 그는 잠을 깨기 위해서 세수를 했다. (wake up, washed, to, he, his face)

08 Ben은 나와 함께 치과에 가고 싶어 한다. (with me, Ben, wants, go, to the dentist, to)

09 나는 마실 차가운 것을 가지고 있다. (something, to, I, drink, have, cold)

10 암호를 잊다니 그는 어리석다. (stupid, it's, him, to, of, forget the password)

 Self Check 나는 to부정사가 있는 문장을 쓸 수 있다. Yes ◯ / No ◯

동명사는 '~하는 것, ~하기'라는 의미로 '동사원형+-ing' 형태로 써요.
문장에서 주어, 보어, 동사와 전치사의 목적어로 쓰이며, 부정은 동명사 앞에 not을 써요.

주어 Watching the sunrise is amazing. 일출을 보는 것은 굉장하다.

보어 My hobby is writing stories. 내 취미는 이야기를 쓰는 것이다.

동사의 목적어 I enjoy listening to hip-hop music. 나는 힙합 음악 듣는 것을 즐긴다.

enjoy, finish, mind, keep, give up 뒤에는 동명사를 써요.

전치사의 목적어 I'm good at playing the drums. 나는 드럼 연주하는 것을 잘한다.

동명사 동작의 주체를 나타내는 동명사의 의미상 주어는
동명사 앞에 소유격으로 써요.

동명사와 동명사의 의미상 주어를 영어 문장 속에서 익혀 보세요.

주어 Traveling around the world is fun. 세계를 여행하는 것은 재미있다.

보어 Her job is teaching students. 그녀의 직업은 학생들을 가르치는 것이다.

목적어 He is afraid of making mistakes. 그는 실수하는 것을 두려워한다.

의미상 주어 I don't mind his using my computer. 나는 그가 내 컴퓨터를 사용하는 것을 신경 쓰지 않는다.

개념 원리 확인

○ Answers p. 13

A 동명사의 역할에 ☑표 하기

01 Martin thanked me for <u>opening</u> the door.

☐ 주어 ☐ 보어 ☐ 목적어

02 <u>Speaking</u> in public is not easy.
🐱 in public 사람들이 있는 데서

☐ 주어 ☐ 보어 ☐ 목적어

03 Joseph doesn't mind <u>sitting</u> on the bench.

☐ 주어 ☐ 보어 ☐ 목적어

04 Helen's job was <u>taking</u> care of the animals.

☐ 주어 ☐ 보어 ☐ 목적어

05 Don't give up <u>learning</u> new things.

☐ 주어 ☐ 보어 ☐ 목적어

06 She loves <u>reading</u> books in the morning.

☐ 주어 ☐ 보어 ☐ 목적어

2주 4일

B 주어진 말을 배열하여 쓰기

01 우리는 그녀가 퍼즐을 푼 것이 자랑스럽다. (the puzzle, solving, her)

We're proud of [＿＿＿＿＿＿＿＿＿].

02 너는 숙제하는 것을 끝냈니? (your homework, finished, doing)

Have you [＿＿＿＿＿＿＿＿＿]?

03 나는 그가 일등상을 타리라고 확신한다. (the first prize, winning, his)

I'm sure of [＿＿＿＿＿＿＿＿＿]. 🐱 win the first prize 일등상을 타다

04 중요한 것은 밤에 잘 자는 것이다. (at night, sleeping, well, is)

The important thing [＿＿＿＿＿＿＿＿＿].

동명사의 여러 가지 표현을 영어 문장 속에서 익혀 보세요.

- **Would you like to go shopping today?** 오늘 쇼핑하러 갈래?

- **I don't feel like eating outside.** 나는 외식하고 싶지 않다.

- **He is busy painting the wall.** 그는 벽을 칠하느라 바쁘다.

- **We look forward to watching his new movie.** 우리는 그의 새 영화를 보기를 기대한다.

개념 원리 확인

○ Answers p. 13

A 주어진 말을 알맞은 형태로 쓰기

01 I don't feel like [　　　　] tonight. (study)

02 The kid spent her money [　　　　] snacks. (buy)

03 Students are busy [　　　　] for the festival. (prepare) 🐱 prepare for ~을 준비하다

04 Mr. Han goes [　　　　] every weekend. (fish)

05 He looks forward to [　　　　] you soon. (see)

06 We cannot help [　　　　] at his jokes. (laugh)

B 우리말과 일치하도록 알맞은 말 쓰기

01 Tom은 숙제하느라 바쁘다.

Tom is [　　　　] [　　　　] his homework.

02 그녀는 사과가 먹고 싶었다.

She [　　　　] [　　　　] [　　　　] apples.

03 나는 그 곰 인형을 사지 않을 수 없다.

I [　　　　] [　　　　] [　　　　] the teddy bear.

04 그는 주말을 음악을 들으면서 보낸다.

He [　　　　] the weekends [　　　　] to music.

> **밑줄 친 부분을 바르게 고쳐 문장 다시 쓰기**

01

Swimming <u>are</u> good for your health.

🐱 be good for ~에 좋다

02

Helen enjoys <u>live</u> in Busan.

03

We don't like <u>he</u> saying bad words.

04

I look forward to <u>go</u> camping with my family.

05

He spent his life <u>to help</u> others.

 Self Check 나는 동명사와 동명사의 의미상 주어를 바르게 쓸 수 있다. Yes ◯ / No ◯

주어진 말을 배열하여 쓰기

06

그는 초콜릿을 먹지 않을 수 없다. (cannot, he, eating, help, chocolate)

07

그녀는 파티를 준비하느라 바빴다. (was, the party, busy, she, preparing for)

08

제가 불을 꺼도 될까요? (you, my, the light, turning off, mind, do)

09

나는 그녀가 시험에 합격할 것을 확신한다. (her, I'm, passing, sure of, the exam)

10

Luke는 일 년 전에 피아노 치는 것을 포기했다. (a year ago, playing, gave up, Luke, the piano)

Self Check 나는 동명사 문장을 쓸 수 있다. Yes ◯ / No ◯

	현재분사	과거분사
형태	동사원형+-ing	동사원형+-(e)d / 불규칙 과거분사형
의미	능동, 진행 (~하는, ~하고 있는)	수동, 완료 (~된, ~한)
역할	• 명사를 앞이나 뒤에서 수식함. • 진행, 현재완료, 수동태 등의 시제 표현에 쓰임.	

현재분사와 과거분사를 영어 문장 속에서 익혀 보세요.

현재분사   Look at the sleeping baby. 자고 있는 아기를 봐.

               She is sleeping. 그녀는 자고 있다.

과거분사   I have a toy car made in Korea. 나는 한국에서 만들어진 장난감 자동차가 있다.

               This car is made in Korea. 이 자동차는 한국에서 만들어졌다.

개념 원리 확인

○ Answers **p. 14**

A 밑줄 친 부분을 우리말로 쓰기

01 Don't touch <u>the broken glass</u>.

02 We saw <u>the rising sun</u> at the beach.

03 I <u>am drawing</u> a picture.

04 She ate <u>baked potatoes</u> for lunch.

05 Eric bought five <u>used books</u>.

06 English <u>is spoken</u> in Australia.

2주

5일

B 알맞은 말 고르기

01 He will open the (closing / closed) door.

02 She is (wearing / worn) brown pants.

03 Meg can read books (writing / written) in French.
분사가 목적어나 부사구와 함께 쓰일 때는 명사를 뒤에서 수식해요.

04 Hojin eats a (boiling / boiled) egg every morning.

05 I know the boy (playing / played) soccer.

06 The (boring / bored) movie made them sleepy. made them sleepy는
'그들을 졸리게 했다'라는 의미예요.

↪ '접속사+주어+동사' 형태의 절을 대신하여 분사가 이끄는 구가 시간, 이유, 동시 동작 등을 나타내요.

분사구문 만드는 방법

When I read a book, I listen to music.
②I read a book, I listen to music.
③Reading a book, I listen to music.

> ❶ 부사절의 접속사 삭제
> ❷ 부사절의 주어 생략
> (부사절과 주절의 주어가 같을 때)
> ❸ 동사 → 현재분사

시간

When I walked my dog, I met Jina.
= Walking my dog, I met Jina.
개를 산책시킬 때, 나는 지나를 만났다.

이유

Because she lives near the river, she often swims.
= Living near the river, she often swims.
강 근처에 살아서 그녀는 종종 수영을 한다.

동시 동작

While he sang the song, he played the guitar.
= Singing the song, he played the guitar.
그는 노래를 하면서 기타를 연주했다.

부정 분사구문의 부정은 분사 앞에 not 또는 never를 써요.

Not being tired, I went to the pool. 피곤하지 않아서 나는 수영장에 갔다.

분사구문을 영어 문장 속에서 익혀 보세요.

시간	Watching the movie, I fell asleep. 영화를 보다가 나는 잠이 들었다.
이유	Feeling tired, he went to bed earlier. 피곤해서 그는 더 일찍 잠자리에 들었다.
동시 동작	Washing my hands, I sang a song. 손을 씻으면서 나는 노래를 불렀다.
부정	Not having a pen, I couldn't take notes. 나는 펜이 없어서 필기를 할 수 없었다.

개념 원리 확인

○ Answers p. 15

A 주어진 말을 알맞은 형태로 바꿔 쓰기

01 그는 거미를 보고 도망갔다. (see)

☐ a spider, he ran away.

02 나는 늦게 일어나서 아침을 먹을 수 없었다. (get)

☐ up late, I couldn't eat breakfast.

03 그들은 집에 걸어 가면서 길에서 해바라기를 발견했다. (walk)

☐ home, they found sunflowers on the street.

04 버스정류장에 도착한 후에 그는 친구에게 전화했다. (arrive)

☐ at the bus stop, he called his friend.

05 시간이 충분하지 않아서 우리는 과제를 끝내지 못했다. (not, have)

☐ enough time, we couldn't finish the project.

B 빈칸에 들어갈 말을 골라 알맞은 형태로 바꿔 쓰기

not know	feel	sleep	wave

01 ☐ at their friends, they left home.

02 ☐ hungry, we ate some bread.

03 ☐ on the bus, she missed her stop.

04 ☐ his name, I couldn't introduce him to you.

😺 분사구문의 부정은 분사 앞에 not을 써요.

> ### 밑줄 친 부분을 바르게 고쳐 문장 다시 쓰기

01 James brought some <u>fry</u> chicken.

02 The cat <u>sleep</u> on the sofa is very cute.

03 They are <u>wait</u> for their teacher.

04 The art room is <u>clean</u> by Nate and Mike.

🐱 수동태는 'be동사+과거분사'로 써요.

05 We were surprised at the <u>shock</u> news.

 Self Check 나는 현재분사와 과거분사를 구별하여 쓸 수 있다. Yes ◯ / No ◯

주어진 말을 활용하여 분사구문 쓰기

06

머리가 아파서 그는 공부할 수 없었다. (have a headache)

, he couldn't study.

2주

5일

07

내가 가장 좋아하는 음악을 들으면서 나는 가족을 생각했다. (listen to my favorite music)

, I thought of my family.

08

나는 더워서 찬 물을 마셨다. (feel hot)

, I drank cold water.

09

만화책을 보면서 우리는 하루 종일 집에 머물렀다. (read comic books)

, we stayed home all day.

10

답을 몰라서 나는 한 마디도 할 수 없었다. (not, know the answer)

, I couldn't say a word.

Self Check 나는 분사구문을 써서 문장을 완성할 수 있다. Yes ○ / No ○

▶ 보라색 글자에 유의하며, 만화를 읽어 봅시다.

①

I want to buy a fish cake for my cat.

②

I have been waiting for 20 minutes to buy it.

③

I haven't eaten a fish cake before.

Oh, let's try it.

④

The cat found that somebody had eaten his cake.

해석

① 나는 내 고양이를 위해 생선 케이크를 사고 싶다.

② 나는 그것을 사기 위해서 20분째 기다리고 있다.

③ 쥐1: 나는 생선 케이크를 먹어 본 적이 없어.

　　 쥐2: 오, 먹어보자.

④ 고양이는 누군가가 그의 케이크를 먹었음을 알았다.

과거의 일이 현재까지 진행되고 있을 때 'have / has been + 동사원형 + -ing형'으로 나타내요.
이전에 일어난 일이 과거에 영향을 줄 때는 'had + 과거분사'로 나타내요.

보라색 글자에 유의하며, 만화를 읽어 봅시다.

해석

❶ 아빠는 노래하면서 요리하고 계셨다.

❷ 아들: 냄새가 좋네요. 저는 아빠 음식을 먹어보고 싶어요.

❸ 아빠: 나는 요리하는 것이 쉽단다.

❹ 아들: 왝. 이 달걀 프라이는 너무 짜요.

to부정사의 동작의 주체를 나타낼 때 to부정사 앞에 의미상 주어인 'for+목적격'을 써요.

A 크로스워드 퍼즐을 완성해 봅시다.

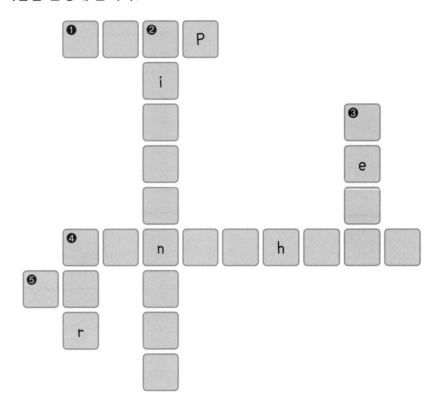

가로 ⇨

1 'cannot ⬚+-ing'는 '~하지 않을 수 없다'라는 의미이다.

4 Don't give up ⬚ the project. 그 과제를 끝내는 것을 포기하지 마라.

5 They have things ⬚ do. 그들은 해야 할 일이 있다.

세로 ⇩

2 I walk to school ⬚ to music. 나는 음악을 들으며 학교에 걸어간다.

3 It has ⬚ raining for two days. 이틀째 비가 내리고 있다.

4 It is dangerous (for / of) you to travel alone. 네가 혼자 여행하는 것은 위험하다.

B 길을 따라 고양이가 도착할 수 있도록 화살표의 지시대로 문장을 바꿔 써 봅시다.

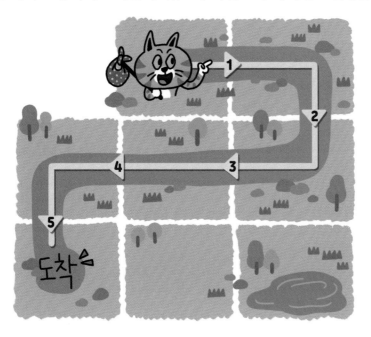

▷ 의문문으로
▽ 부정문으로
◁ 분사구문으로

1 They have been to Jejudo. ▷

[   ]

2 Brian had cleaned his room when I called him. ▽

[   ]

3 When I heard the news, I felt happy. ◁

[   ], I felt happy.

4 Because she was hungry, she ate donuts. ◁

[   ], she ate donuts.

5 I have been studying Chinese since last month. ▽

[   ]

C 번호를 따라가며 문제를 풀어 써 봅시다.

1

(Do / Have) you been to Mexico?
– Yes, I have.

2

주어진 말을 알맞은 형태로 쓰기
He said he _____ a bike
last Sunday. (buy)

3

James has _____ _____
since this morning.
James는 아침부터 수영을 하고 있다.

4

Christina works at the mall.

현재진행 시제로

 Christina _____
at the mall.

5

우리말로 쓰기
I was happy to solve the problem.
나는 그 문제를 _____.

6

It is not easy for (me / my)
to carry the bag.

○ Answers p. 16

7

It is wise (for / of) you to say so.

8

Birds are busy

(building / built) nests.

10

밑줄 친 부분을 바르게 고쳐 쓰기

There are books <u>writing</u> in Italian.

➡ _____

9

(Be / Being) sick, I took some

medicine.

11

빈칸에 공통으로 들어갈 말은 (helping / help)이다.

• My job is _____ the learners.

• I enjoy _____ others.

12 주어진 말을 배열하여 쓰기

피곤하지 않아서 나는 영화를 보러 갔다.

(being, not, tired)

➡ _____, I went to the movies.

FINISH

누구나 100점 테스트

[01-02] 올바른 문장을 골라 봅시다.

01

a. We have been to Daejeon before.

b. I don't have washed the car since last month.

02

a. My teacher told us that she went to Africa twice.

b. She broke the vase that she had made last week.

[03-05] 밑줄 친 부분을 바르게 고쳐 문장을 다시 써 봅시다.

03

<u>Is</u> Kevin and Jason playing basketball?

04

The writer has been <u>written</u> the novel since last year.

○

05

My friend was happy <u>find</u> his dog.

○

○ Answers p. 17

[06-07] 주어진 말을 바르게 배열하여 써 봅시다.

06

어린이들이 강에서 수영하는 것은 위험하다. (in the river, for children, to swim)

It is dangerous _____ .

07

나는 그가 내 컴퓨터를 사용하는 것을 신경 쓰지 않는다. (my computer, his, using)

I don't mind _____ .

[08-10] 괄호 안에서 알맞은 말을 골라 문장을 다시 써 봅시다.

08

We cannot help (to laugh / laughing) at his jokes.

➔ _____

09

Eric bought five (using / used) books.

➔ _____

10

(Walk / Walking) my dog, I met Jina.

➔ _____

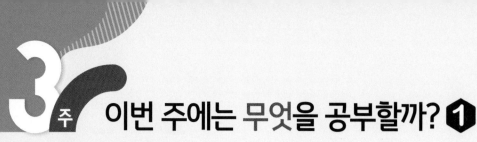

알아두면 좋은 용어) 능동태, 수동태, 4형식 문장

| They | walk | the dogs |.

그들은 개들을 산책시킨다.

능동태는 '~이 …을 하다'라는 의미로, 주어가 어떤 동작을 스스로 하는 것을 나타낼 때 사용하는 동사의 형태를 말해요.

| The dogs | are walked | by them |.

개들은 그들에 의해 산책된다.

수동태는 'be+과거분사'의 형태로 '~되다'라는 의미예요. 행위의 대상 또는 행위 자체를 강조할 때 사용해요.

He made | me | a cake |.
　　　　　간접목적어　직접목적어

그는 나에게 케이크를 만들어 주었다.

4형식 문장은 간접목적어(~에게)와 직접목적어(~을)가 있는 문장으로 '주어+동사+간접목적어+직접목적어' 형태예요.

study - studied

swim - swum

동사원형
공부하다

과거분사
공부했다

동사원형
수영하다

과거분사
수영했다

과거분사는 '동사원형+-ed'의 형태를 원칙으로 하며, 불규칙적으로
변하는 동사도 있어요. 명사를 수식할 때 쓰이기도 하지만,
완료시제와 수동태에 쓰이기도 하지요.

1일	● 수동태	● 조동사 + 수동태
2일	● 4형식 문장의 수동태	● 주의해야 할 수동태
3일	● 가정법 과거	● 가정법 과거완료
4일	● used to, would, had better	● 조동사 + have + 과거분사
5일	● 수 일치	● 시제 일치

수동태

'~가 되다'라는 뜻으로 행위의 대상 또는 행위 자체를 강조할 때 사용하는 동사의 형태

The guitar **is played** by the man.
기타는 그 남자에 의해 연주된다.

○ Answers p. 17

❷-1 능동태 문장과 수동태 문장을 구별해 봅시다.

		능동태 문장	수동태 문장
01	This house was built by the man	☐	☐
02	Her bag is made by Mr. Miller.	☐	☐
03	The director made the movie.	☐	☐
04	The fish was caught by Max.	☐	☐
05	My grandfather planted the flowers.	☐	☐
06	We solved the puzzle together.	☐	☐

4형식 문장

'주어＋동사＋간접목적어＋직접목적어'로 이루어진 문장

The cow brought the man milk.
소는 그 남자에게 우유를 가져다주었다.

○ Answers p. 17

②-2 4형식 문장이면 ○표, 4형식 문장이 아니면 ×표를 해 봅시다.

01 Can you teach Italian to me?

02 Hojun gave Minho a movie ticket.

03 Mr. White taught us English.

04 I want to eat some chocolate.

05 My grandma bought me a book.

06 There are lots of flowers.

 수동태는 '~가 되다'라는 의미로, 행위의 대상 또는 행위 자체를 강조할 때 사용하는 동사의 형태예요. 행위의 대상이 되는 사람 또는 사물이 수동태의 주어가 되요.

능동태

He scared the kids.
그는 아이들을 겁먹게 했다.

수동태

The kids **were scared** by him.
be동사+과거분사   by 행위자
아이들은 그에 의해 겁을 먹었다.

미래시제 A gift **will be sent** by Fred. 선물은 Fred에 의해 보내질 것이다.

부정문 The pictures **aren't taken** by her. 그 사진들은 그녀에 의해 찍히지 않는다.

의문문 **Was** the room **cleaned** by Nick? 그 방은 Nick에 의해 청소되었니?

현재시제	am / are / is + 과거분사	부정문	be동사 + not + 과거분사
과거시제	was / were + 과거분사	의문사 없는 의문문	Be동사 + 주어 + 과거분사 ~?
미래시제	will be + 과거분사	의문사 있는 의문문	의문사 + be동사 + 주어 + 과거분사 ~?

수동태에 대해 읽고, 영어 문장 속에서 익혀 보세요.

1 형태: be동사+과거분사(+by 행위자)   **2** 의미: ~가 되다

- English **is spoken** in Australia (by people). 영어는 호주에서 (사람들에 의해) 말해진다.

- The book **wasn't written** by her. 그 책은 그녀에 의해 쓰이지 않았다.

- What **was invented** by him? 무엇이 그에 의해 발명되었니?

개념 원리 확인

○Answers p. 17

A 알맞은 말 고르기

01 The roof (was painting / was painted) by Paul.

02 (Was / Did) the question solved by Mark?

03 Soccer (is loved / does loved) in the U.K.

😺 행위자가 일반적인 사람인 경우 'by 행위자'는 생략할 수 있어요.

04 This house (not was / was not) built by Mr. Jones.

05 When (the music was / was the music) played by Lauren?

B 주어진 말을 활용하여 빈칸에 알맞은 말 쓰기

01 도둑은 경찰에 의해 붙잡혔다. (catch)

The thief [   ] by the police.

02 그 개는 Brian에 의해 씻겨졌니? (wash)

[   ] by Brian?

03 꽃은 일주일에 한 번 배달된다. (deliver)

The flowers [   ] once a week.

😺 once a week 일주일에 한 번

04 책은 Amy에 의해 주문될 것이다. (will, order)

The book [   ] by Amy.

05 이 기계들은 Steve에 의해 고쳐지지 않았다. (not, fix)

The machines [   ] by Steve.

 조동사 뒤에는 동사원형이 와야 하므로 be동사는 항상 be로 써요.

조동사 긍정문	조동사 + be + 과거분사
조동사 부정문	조동사 + not + be + 과거분사

'조동사 + 수동태'를 영어 문장 속에서 익혀 보세요.

- **The food can be eaten by cats.** 그 음식은 고양이들이 먹어도 된다.

- **The room may be decorated by Jake.** 방은 Jake에 의해 꾸며질지도 모른다.

- **Your bike should not be left outside.** 네 자전거는 밖에 놓여서는 안 된다.

개념 원리 확인

○ Answers p. 18

A 밑줄 친 부분을 바르게 고쳐 쓰기

01 The computer can <u>used</u> by every student.

02 The food must <u>is</u> kept in a cool place.

03 Heavier items should <u>packed</u> in the bottom.
🐱 in the bottom 아래에

04 The building will <u>be not</u> designed by Joe.

05 The sculpture should <u>be not touch</u> by the visitors.
🐱 sculpture 조각품

by 행위자는
생략하기도 해요.

3주
1일

B 주어진 말을 배열하여 쓰기

01 올해 축제는 열리지 않을 것이다. (will, not, held, be) 🐱 hold (회의 등을) 개최하다

The festival [   ] this year.

02 네 신발은 Emily에 의해 세탁되었는지도 모른다. (may, washed, be)

Your shoes [   ] by Emily.

03 수업은 선생님에 의해 취소될 수 있다. (be, can, canceled)

The class [   ] by the teacher.

04 쓰레기는 비닐봉지에 담겨야 한다. (should, put, be)

Trash [   ] in plastic bags.

05 이 도구들은 아이들에 의해 사용되어서는 안 된다. (be, must, not, used)

These tools [   ] by children.

능동태의 시제에 유의하여
'be동사 + 과거분사' 형태의
수동태로 쓰세요.

수동태 문장으로 바꿔 쓰기

01

Katie does not feed the dogs.  feed(먹이를 주다)의 과거분사는 fed예요.

⇨ The dogs _____ .

02

The mailman delivered this package.

⇨ This package _____ .

03

Did Picasso draw this picture?

⇨ _____ by Picasso?

04

Workers must wear helmets. wear(입다, 착용하다)의 과거분사는 worn이에요.

⇨ Helmets _____ .

05

Students cannot understand her speech.

⇨ Her speech _____ .

 Self Check 나는 능동태 문장을 수동태 문장으로 바꿀 수 있다. Yes ◯ / No ◯

주어진 말을 배열하여 쓰기

06 어떻게 그 기계는 그녀에 의해 발명되었니? (by her, was, invented, how, the machine)

07 이 영화는 아이들에게 보여서는 안 된다. (by children, this movie, be, shouldn't, watched)

08 이메일은 Henry에 의해 쓰일 것이다. (written, by Henry, the e-mail, be, will)

09 저녁은 일류 요리사에 의해 요리된다. (is, the dinner, cooked, by a top chef)

10 디자인은 사용자에 의해 선택될 수 있다. (by the user, chosen, the design, be, can)

Self Check 나는 수동태를 써서 문장을 완성할 수 있다. Yes ◯ / No ◯

3주 2일 | 4형식 문장의 수동태

 간접목적어와 직접목적어가 있는 4형식 문장은 각각의 목적어를 주어로 하여 두 가지 형태의 수동태 문장으로 쓸 수 있어요.

4형식 문장의 능동태

The cow brought [the man] [milk].
　　　　　　　　 간접목적어　　 직접목적어

소는 그 남자에게 우유를 가져다주었다.

4형식 문장의 수동태

간접목적어가 주어가 될 때 ➡ [The man] was brought [milk] by the cow.
　　　　　　　　　　　　　　　　 간접목적어　　　　　　　　 직접목적어

남자는 소에 의해 우유를 제공 받았다.

직접목적어가 주어가 될 때 ➡ [Milk] was brought [to] [the man] by the cow.
　　　　　　　　　　　　　　　 직접목적어　　　　　　　 전치사　 간접목적어

우유는 소에 의해 남자에게 제공되었다.

4형식 문장의 수동태 형태

[간접목적어] + be동사 + 과거분사 + [직접목적어] + by 행위자

[직접목적어] + be동사 + 과거분사 + [전치사] + [간접목적어] + by 행위자

 직접목적어를 수동태의 주어로 쓸 때, 동사에 따라 간접목적어 앞에 쓰는 전치사가 달라요.

to를 쓰는 동사	bring, give, sell, send, show, teach, tell, write 등
for를 쓰는 동사	buy, cook, get, make 등
of를 쓰는 동사	ask 등

4형식 문장의 수동태를 영어 문장 속에서 익혀 보세요.

• **We were shown the room by Ted.** 우리는 Ted에 의해 그 방을 봤다.

• **The room was shown to us by Ted.** 그 방은 Ted에 의해 우리에게 보여졌다.

• **The dinner was cooked for the guests by Ted.** 저녁은 Ted에 의해 손님들에게 요리되었다.

• **The question was asked of Ted by the kids.** 그 문제는 아이들에 의해 Ted에게 질문되었다.

A 개념 다지기

 4형식 문장의 수동태는 **01** ☐☐ 목적어와 직접목적어를 주어로 하는 두 가지 형태가 있는 것 맞지?

응. 직접목적어가 수동태 문장의 주어가 될 때는 간접목적어 앞에 **02** ☐☐☐ 을(를) 써.

 동사가 bring, give, send일 때는 전치사 **03** ☐ 을(를) 쓰는 거지?

그렇지. 동사가 buy, cook, make일 때는 전치사 **04** ☐ 을(를), ask일 때는 전치사 of를 써.

> 4형식 문장의 수동태에서 간접목적어 앞에 전치사를 쓰는 것을 기억하세요!

B 알맞은 말 고르기

01 They were told (to / 없음) the stories by Julie.

02 The books were bought (of / for) me by my parents.

03 A card was sent (없음 / to) Molly by her teacher.

04 The first question was asked (of / for) us by her.

05 The rules were made (for / 없음) the students.

06 We were given (to / 없음) new information.

수동태의 행위자를 나타낼 때 by 이외의 전치사를 쓰기도 해요.

The bag is filled with the presents. 가방은 선물로 가득 차 있다.

The roof is covered with snow. 지붕은 눈으로 덮여있다.

Santa is known for his red suit. 산타는 그의 빨간 옷으로 유명하다.

by 이외의 전치사를 쓰는 숙어

be covered with	~으로 덮여 있다	be filled with	~으로 가득 차다
be known for	~으로 유명하다	be interested in	~에 흥미가 있다
be surprised at	~에 놀라다	be satisfied with	~에 만족하다

'동사＋전치사／부사'가 하나의 동사 역할을 할 때,
한 덩어리로 취급해서 수동태를 만들어요.

The light was turned on by him. 그 등은 그에 의해 켜졌다.

주어 ＋ be동사 ＋ 과거분사 ＋ 전치사/부사 ＋ by 행위자

하나의 덩어리처럼 취급하는 동사구

look after	~을 돌보다	look forward to	~을 기대하다
take care of	~을 돌보다	turn on／off	~을 켜다/끄다

주의해야 할 수동태를 영어 문장 속에서 익혀 보세요.

• My parents are interested in politics. 나의 부모님은 정치에 관심이 있으시다.

• The scientist was surprised at the result. 과학자는 결과에 놀랐다.

• The cats are looked after by Katie. 고양이는 Katie에 의해 돌봐진다.

• She was taken care of by her aunt. 그녀는 그녀의 이모에 의해 돌봐졌다.

A 알맞은 말 고르기

01 The box was filled (by / with) new novels.

novel 소설

02 The TV was turned (by Jason off / off by Jason).

03 She is satisfied (with / in) her math grade.

grade 성적

04 The baby was taken care (of / of by) her grandmother.

05 The fields were covered (with / by) grass and flowers.

06 The meeting was looked forward (to / to by) the members.

B 빈칸에 알맞은 말 골라 쓰기

after	in	for	at	with

01 나는 그의 직업에 관심이 없다.

I'm not interested ⬜ his job.

02 우리는 그 소식에 놀랐다.

We were surprised ⬜ the news.

03 고객은 그 디자인에 만족했다.

The customer was satisfied ⬜ the design.

04 그 섬은 아름다운 해변으로 유명하다.

The island is known ⬜ the beautiful beaches.

3주 2일 기초 집중 연습

4형식 문장의 수동태에서 직접목적어가 주어일 때, 간접목적어 앞에 전치사를 써요.

주어진 말을 주어로 하는 수동태 문장으로 바꿔 쓰기

01 Ms. Potter taught us French.

⇨ We _____ by Ms. Potter.

02 Kevin wrote his classmates the invitation.

⇨ The invitation _____ by Kevin.

🐱 4형식 문장의 수동태에서 동사가 write일 때 간접목적어 앞에 to를 써요.

03 My uncle sent me the birthday gift.

⇨ I _____ by my uncle.

04 James bought his daughter this jacket.

⇨ This jacket _____ by James.

🐱 4형식 수동태에서 동사가 buy일 때 간접목적어 앞에 for를 써요.

05 The interviewer asked Robert a few questions.

⇨ A few questions _____ by the interviewer.

🐱 4형식 문장의 수동태에서 동사가 ask일 때 간접목적어 앞에 of를 써요.

Self Check 나는 4형식 문장의 수동태를 바르게 쓸 수 있다. Yes ○ / No ○

주어진 말을 배열하여 쓰기

06

그의 눈은 눈물로 가득 찼다. (tears, his eyes, were, with, filled)

07

행사는 아이들에 의해 기대된다. (the kids, forward to, by, is, looked, the event)

08

그 선수는 팀에 의해 상이 주어졌다. (given, the team, a prize, was, by, the player)

09

식물들은 정원사에 의해 돌봐진다. (the gardener, after, the plants, by, looked, are)

10

그림들은 Bella에 의해서 나에게 보였다. (by Bella, shown, me, the paintings, to, were)

 Self Check 나는 수동태가 있는 문장을 쓸 수 있다. Yes ◯ / No ◯

나 좀 도와줄래?

미안. If I were not busy, I would help you. 만약 내가 바쁘지 않다면, 널 도와줄 텐데.

If you were not busy, we could eat together. 만약 네가 바쁘지 않다면, 우리가 같이 먹을 수 있을 텐데.

우와, 맛있겠다.

가정법 과거는 '만약 ~한다면, …할 텐데'의 의미로, 현재 사실과 반대되거나 실제로 일어날 가능성이 거의 없는 일을 가정할 때 써요.

 형태는 과거형이지만, 의미상으로는 현재나 미래에 대한 것이므로 해석에 주의해야 해요.

	If절	주절
형태	If + 주어 + were ~,	주어 + 조동사의 과거형(would, could, might 등) + 동사원형 ….
	If + 주어 + 동사의 과거형 ~,	
의미	만약 ~한다면, …할 텐데	

가정법 과거를 영어 문장 속에서 익혀 보세요.

- **If I had** enough money, **I would buy** that cap. 만약 나에게 충분한 돈이 있다면, 저 모자를 살 텐데.

- **He could text** her if he **knew** her number. 만약 그가 그녀의 전화번호를 알면, 그녀에게 문자메시지를 보낼 텐데.

- **If I were** you, **I would not waste** time. 만약 내가 너라면, 시간을 낭비하지 않을 텐데.

- **If she didn't tell** lies, they **would believe** her. 만약 그녀가 거짓말을 하지 않는다면, 그들은 그녀를 믿을 텐데.

개념 원리 확인

○ Answers p. 20

A 알맞은 말 고르기

01 If I knew his address, I (can / could) send him a present.

02 If there (are / were) superheroes, the world would be peaceful.

superhero 슈퍼히어로, peaceful 평화로운

03 If we (live / lived) by the river, we would go fishing every day.

04 If she (isn't / weren't) busy, she could walk her dogs.

walk a dog 개를 산책시키다

05 If he were a pilot, he (will / would) fly everywhere.

06 If it (be / were) sunny, we could go on a picnic.

B 주어진 말을 알맞은 형태로 바꿔 쓰기

01 만약 나윤이가 아프지 않으면, 파티에 올 텐데. (be)

If Nayun [   ] not sick, she would come to the party.

02 만약 엄마가 그 결과를 들으면, 기뻐하실 텐데. (will)

If Mom heard the result, she [   ] be excited.

03 만약 지원이가 나를 도와준다면, 나는 그 수학 문제를 쉽게 풀 텐데. (help)

If Jiwon [   ] me, I would solve the math problem easily.

04 만약 그가 일찍 온다면, 우리는 함께 영화를 볼 수 있을 텐데. (can)

If he came early, we [   ] watch the movie together.

3주 3일 | 가정법 과거완료

 가정법 과거완료는 '만약 ~했다면, …했을 텐데'라는 의미로, 과거 사실과 반대되는 일을 가정할 때 써요.

If I had been careful, I wouldn't have broken the cup.
만약 내가 조심했다면, 컵을 깨뜨리지 않았을 텐데.
➡ Because I wasn't careful, I broke the cup.

I would have bought a new cup if I had had time.
만약 내가 시간이 있었다면 새 컵을 샀을 텐데.

If I hadn't taken an umbrella, I would have gotten wet.
　　　　　(=had not)
만약 내가 우산을 안 가져갔으면, 젖었을 텐데.
➡ Because I took an umbrella, I didn't get wet.

She would not have gotten wet if she had had an umbrella.
만약 그녀가 우산이 있었다면, 젖지 않았을 텐데.

	If절	주절
형태	If + 주어 + had + 과거분사 ~,	주어 + 조동사의 과거형 (would, could, might 등) + have + 과거분사 ….
의미	만약 ~했다면 …했을 텐데	

가정법 과거완료를 영어 문장 속에서 익혀 보세요.

- **If I had had enough time, I would have gone shopping.**
  만약 내게 충분한 시간에 있었다면, 쇼핑하러 갔을 텐데.

- **You would not have been late if you had left home earlier.**
  만약 네가 더 일찍 집을 나섰더라면, 늦지 않았을 텐데.

- **If it hadn't been windy, I could have gone to the beach.**
  만약 바람이 많이 불지 않았다면, 나는 해변에 갔을 텐데.

개념 원리 확인

○ Answers p. 20

A 밑줄 친 부분을 바르게 고쳐 쓰기

01 If he had <u>knew</u> her name, he would have called her.

02 If I <u>didn't help</u> her, she wouldn't have finished it.

03 If I hadn't ridden my bike, I <u>won't</u> have fallen off.

🐱 fall off 넘어지다, 떨어지다

04 If Kevin hadn't gotten lost, he wouldn't have <u>cry</u>.

05 If we had cleaned the room, it wouldn't <u>been</u> messy.

🐱 messy 지저분한

06 If I <u>had eaten not</u> lunch, I would have been hungry.

B 알맞은 말 골라 쓰기

have caught	have stayed	hadn't	had

01 만약 그녀가 농담을 하지 않았다면, 나는 웃지 않았을 텐데.

If she [   ] said a joke, I wouldn't have laughed.

02 만약 그에게 충분한 돈이 있었다면, 그는 그 가방을 샀을 텐데.

If he had [   ] enough money, he would have bought the bag.

03 만약 비가 왔다면, 우리는 집에 머물렀을 텐데.

If it had been rainy, we would [   ] at home.

04 만약 네가 더 일찍 도착했다면, 우리가 비행기를 탈 수 있었을 텐데.

If you had arrived earlier, we could [   ] the flight.

3주 3일 기초 집중 연습

현재 사실과 반대인지, 과거 사실과 반대인지에 따라 동사의 형태가 달라져요.

주어진 말을 활용하여 문장 완성하기

01

만약 내가 영어 선생님이라면, 나는 그 답을 알 텐데.

If I were an English teacher, _____ .

know,
the
answer

02

만약 그녀가 부자라면, 가난한 사람들을 도울 텐데.

_____ , she would help the poor.

🐱 the poor 가난한 사람들

be,
rich

03

만약 그가 바쁘지 않다면, 우리가 그의 집을 방문할 텐데.

If he were not busy, _____ .

visit,
his
house

04

만약 내가 더 많은 책을 읽었다면, 내가 더 현명해졌을 텐데.

If I had read more books, _____ .

become,
wiser

05

만약 내가 그를 만났다면, 그에게 그 소식을 말할 수 있었을 텐데.

_____ , I could have told him the news.

meet

 Self Check 나는 가정법 과거와 가정법 과거완료 문장을 바르게 쓸 수 있다. Yes ○ / No ○

주어진 말을 배열하여 쓰기

06

만약 내가 시간이 더 있다면, 방과 후에 운동을 할 수 있을 텐데. (had, if, more time, I)

_____, I could exercise after school.

07

만약 그에게 고양이가 있다면, 그는 그것을 잘 돌볼 텐데. (take good care of, he, it, would)

If he had a cat, _____.

08

만약 내가 일찍 일어난다면, 학교에 지각하지 않을 텐데. (I, late for, wouldn't, school, be)

If I got up early, _____.

09

만약 오늘 비가 안 왔다면, 우리는 밖에서 놀 수 있었을 텐데. (today, hadn't, if, rained, it)

_____, we could have played outside.

10

만약 내가 엄마에게 전화했다면, 나를 걱정하지 않으셨을 텐데. (she, me, wouldn't, worried about, have)

If I had called Mom, _____.

 Self Check 나는 가정법 과거와 가정법 과거완료 문장을 완성할 수 있다. Yes ◯ / No ◯

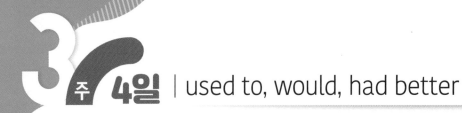

3주 4일 | used to, would, had better

used to와 would는 모두 현재는 하지 않는 과거의 습관을 나타내요.
과거의 상태를 나타낼 때는 used to만 쓸 수 있어요.
used to, would, had better 뒤에는 동사원형을 써요.

used to ~하곤 했다, ~이었다

There used to be lots of trees.
나무가 많이 있었다.

부정 didn't use to / used not to

would ~하곤 했다

I would climb up the tree.
나는 나무에 오르곤 했다.

had better ~하는 게 좋다

You had better wear boots.
너는 부츠를 신는 게 좋겠구나.

부정 had better not

used to, would, had better를 영어 문장 속에서 익혀 보세요.

- **I used to live** in Canada, but now I live in Korea. 나는 캐나다에 살았지만, 지금은 한국에 산다.

- When we were younger, we **would fly** kites. 우리가 더 어렸을 때, 우리는 연을 날리곤 했다.

- They **had better not** go out tonight. 그들은 오늘밤에 나가지 않는 것이 좋다.

A 알맞은 말 고르기

01 Jessica (use to / used to) play with these dolls.

02 He had better (not eat / eat not) snacks at night. snack 간식

03 I used to (ride / rode) a roller coaster when I was little.

04 Mom and Dad would (read / to read) storybooks to me.

05 You had better (change / changed) your mind.

06 He (will / would) walk to school every day when he was 10.

B 우리말에 맞게 주어진 말을 배열하여 쓰기

01 여기에 옛 성이 하나 있었다. (be, used, to)

There ⬚⬚⬚ an old castle here.

02 아빠와 나는 정원에 나와 앉아 있곤 했다. (sit out, would)

My father and I ⬚⬚⬚ in the garden.

03 나는 당근은 먹지 않았는데, 지금은 먹는다. (to, eat, didn't, use)

I ⬚⬚⬚ carrots, but now I do.

do = eat (carrots)

04 너는 먼저 선생님께 여쭤보는 것이 좋다. (better, ask, had)

You ⬚⬚⬚ your teacher first.

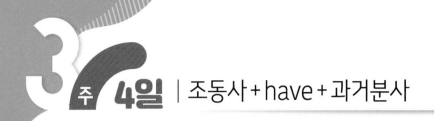

3주 4일 | 조동사 + have + 과거분사

조동사 뒤에 'have + 과거분사'가 오면, 과거의 행동이나 사실에 대한 추측, 후회 등을 나타내요.

must have + 과거분사

~했음이 틀림없다 (강한 추측)

Pinocchio must have told a lie.
피노키오는 거짓말했음이 틀림없다.

may/might have + 과거분사

~했을지도 모른다 (약한 추측)

I might have eaten too much.
나는 너무 많이 먹었을지도 모른다.

should have + 과거분사

~했어야 한다 (후회)

He shouldn't have stayed up late. 그는 늦게까지 깨어있지 말았어야 한다.

cannot have + 과거분사

~했을 리가 없다 (강한 부정의 추측)

She cannot have washed her hands. 그녀는 손을 씻었을 리가 없다.

'조동사 + have + 과거분사'를 영어 문장 속에서 익혀 보세요.

- He **must have remembered** my name. 그는 내 이름을 기억했음이 틀림없다.

- Mr. Jo **might have written** this memo. 조 선생님이 이 메모를 썼을지도 모른다.

- I **should have studied** harder. 나는 좀 더 열심히 공부했어야 한다.

- He **cannot have painted** this picture. 그가 이 그림을 그렸을 리가 없다.

개념 원리 확인

○Answers p. 21

A 밑줄 친 부분을 우리말로 쓰기

01 He <u>should have done the dishes</u>.

02 The kid <u>cannot have broken the vase</u>.

03 They <u>might have gotten lost</u> without me.
get lost 길을 잃다

04 It <u>must have snowed</u> last night.

05 I <u>shouldn't have played basketball</u> in the rain.

B 알맞은 말 골라 쓰기

cannot	must	might	should	can

01 그가 케이크를 먹었음이 틀림없다.

He ☐ have eaten the cake.

02 우리는 부모님의 말씀을 들었어야 한다.

We ☐ have listened to our parents.

03 준서는 모임에 늦었을지도 모른다.

Junseo ☐ have been late for the meeting.
be late for ~에 늦다

04 그녀는 그 러시아 책을 읽었을 리가 없다.

She ☐ have read the Russian book.

3주 4일 기초 집중 연습

01 그의 가족은 캐나다에 살았다. (현재는 아님)

_____ in Canada.

used to, live

02 당신은 더 많은 채소를 먹는 것이 좋겠다.

_____ more vegetables.

had better, eat

03 나는 도서관에서 책을 읽곤 했다.

_____ in the library.

would, read

04 그녀가 사고를 봤음이 틀림없다.

_____ the accident.

must, see

05 그는 내게 진실을 말했어야 한다.

_____ me the truth.

should, tell

 Self Check 나는 알맞은 조동사를 사용하여 문장을 완성할 수 있다. Yes ◯ / No ◯

주어진 말을 배열하여 쓰기

06

우리는 이 강에서 수영하지 않는 것이 좋다. (had better, we, not, swim)

_____ in this river.

07

여기에 병원이 있었다. (here, used to, a hospital, be)

There _____ .

3주

4일

08

그는 그 잡지를 읽지 않았을지도 모른다. (have, he, may, read, not)

_____ the magazine.

09

민지는 치과에 갔었어야 한다. (to the dentist, should, gone, have)

Minji _____ .

10

언니가 내게 거짓말했을 리가 없다. (cannot, me, a lie, told, have)

My sister _____ .

 Self Check 나는 조동사를 바르게 사용하여 문장을 완성할 수 있다. Yes ○ / No ○

 동사의 형태는 주어의 수와 일치시켜요.

단수 취급하는 주어

다음과 같은 주어 뒤에는 is나 was,
현재 시제일 때는 일반동사의
3인칭 현재형이 와요.

every / each + 단수 명사
모든 / 각 ~

Each ant carries one piece of grain.
각 개미는 곡식 한 알씩을 나른다.

the number of + 복수 명사
~의 수

The number of tourists has decreased.
관광객의 수가 줄었다.

분수, 부분 표현 + 단수 명사

One-third of the country is covered with
mountains. 국토의 1/3이 산으로 덮여 있다.

복수 취급하는 주어

다음과 같은 주어 뒤에는 are나 were, 현재 시제일 때는 일반동사의
원형이 와요.

a number of + 복수 명사
많은

A number of cows were in the grassland.
목초지에 많은 소가 있었다.

the + 형용사
~ 사람들

The rich are not always happy.
부자들이 항상 행복한 것은 아니다.

분수, 부분 표현 + 복수 명사

Two-third of my friends have pets.
내 친구의 2/3가 반려 동물을 키우고 있다.

수 일치에 대해 읽고, 영어 문장 속에서 익혀 보세요.

1 **단수 취급하는 주어** + is / was, 일반동사의 3인칭 단수 현재형

2 **복수 취급하는 주어** + are / were, 일반동사의 원형

• **Every flower** in the garden **is a rose.** 정원에 있는 모든 꽃은 장미이다.

• **Most of the students are wearing jeans.** 대부분의 학생들은 청바지를 입고 있다.

개념 원리 확인

○ Answers p. 22

A 알맞은 말 고르기

01 Each member of the team (have / has) special skills.

02 One-fourth of the apples (is / are) green.
🐱 분수 표현: 분자는 기수, 분모는 서수로 써요. (분자가 복수일 때는 서수에 -s를 붙여요.)

03 The old (feel / feels) happier after exercise.

04 Two-fifths of the land (is / are) covered with plants and trees.

05 A number of the eggs (was / were) broken.

06 Some of the milk (is / are) poured into a glass. 🐱 pour 붓다

B 빈칸에 주어진 동사의 알맞은 형태 쓰기

01 모든 어린이가 책을 읽고 있었다. (be)
Every child ⬜ reading a book.

02 농장의 수가 증가하고 있다. (be)
The number of farms ⬜ increasing.
🐱 increase 증가하다 ↔ decrease 감소하다

03 직원의 절반이 이 도시에 산다. (live)
Half of the workers ⬜ in this city.

04 가난한 사람들은 지원이 필요하다. (need)
The poor ⬜ the support. 🐱 support 지원

05 많은 학생들이 피아노 수업을 듣는다. (take)
A number of the students ⬜ piano lessons.

 주절의 시제가 현재일 때, 종속절의 시제는 어느 것이나 쓸 수 있어요.

I know that
주절 - 현재

종속절 - 현재
(he **has** a **cold**). 나는 그가 감기에 걸린 것을 안다.

(he **was sick**). 나는 그가 아팠던 것을 안다.
종속절 - 과거

주절의 시제가 과거일 때, 종속절의 시제는 과거나 과거완료를 써요.

He said that
주절 - 과거

종속절 - 과거
(he **had** a **toothache**). 그는 치통이 있다고 말했다.

(he **had bought** a **shirt**). 그는 셔츠를 샀다고 말했다.
종속절 - 과거완료

 주절에 관계 없이 종속절이 불변의 진리, 속담, 현재의 사실이나 습관을 말할 때
종속절의 시제는 항상 현재를 쓰고, 역사적 사실을 말할 때는 항상 과거를 써요.

We learned that (the **Sun rises** in the **East**). 우리는 해가 동쪽에서 뜬다고 배웠다.
주절 - 과거   종속절(불변의 진리) - 현재

He said that (Shakespeare **wrote** Hamlet). 그는 셰익스피어가 '햄릿'을 썼다고 말했다.
주절 - 과거   종속절(역사적 사실) - 과거

시제 일치에 대해 읽고, 영어 문장 속에서 익혀 보세요.

주절	종속절	주절	종속절
1 시제 일치: 현재시제	모든 시제 가능	/ 과거시제	과거시제, 과거완료시제

	종속절		종속절
2 시제 일치 예외: 항상 현재시제	불변의 진리, 속담, 현재의 습관	/ 항상 과거시제	역사적 사실

- She tells me that she **was** at home yesterday. 그녀는 내게 어제 집에 있었다고 말한다.

- Joe knew that the team **had lost** the game. Joe는 팀이 경기에 진 것을 알았다.

- Mom told me that bad news **travels** fast. 엄마는 내게 나쁜 소식은 빨리 퍼진다고 말씀하셨다.

개념 원리 확인

A 개념 다지기

 주절의 시제가 현재일 때, 종속절에는 **01** (현재 / 과거 / 모든) 시제를 쓸 수 있어.

주절의 시제가 과거일 때 종속절의 시제는 과거시제 또는 **02** ☐☐☐☐ 시제를 쓰지?

 맞아. 주절에 관계 없이 종속절이 불변의 진리, 속담, 현재 사실이나 습관을 말할 때는 항상 **03** ☐☐ 시제를 쓰고, 역사적 사실을 말할 때는 항상 **04** ☐☐ 시제를 써.

> 주절의 시제가 과거일 때 종속절의 시제는 과거나 과거완료를 써요.

B 알맞은 말 고르기

01 Sue told me that she (will / would) move to Sydney.
move 이사하다

02 He said that he (has / had) been to Morocco.

03 I found that somebody (has / had) taken my bag.

04 We know that the Korean War (breaks / broke) out in 1950.

05 They learned that light (is / was) faster than sound. light 빛, sound 소리

06 I knew that *The Adventures of Tom Sawyer* (is / was) written by Mark Twain.

07 Amy learned that hedgehogs (sleep / slept) in winter. hedgehog 고슴도치

3주 5일 기초 집중 연습

> ## 비교하며 문장 쓰기

01

모든 학생이 캠핑을 가고 싶어 한다.

Every student wants to go camping.

학생들의 절반이 수영하러 가고 싶어 한다.

🐱 half of ~: ~의 절반

02

설탕의 3분의 1이 더해졌다.

One-third of the sugar was added.

사람들의 3분의 2가 한국인이었다.

🐱 분자가 복수일 때 서수에 -s를 붙여요.

03

두 시간은 상을 차리는 데 충분하다.

Two hours is enough to set the table.

두 사람은 설거지하는 데 충분하다.

04

나는 그가 새 펜을 산 것을 안다.

I know that he bought a new pen.

나는 그가 새 책을 샀었다는 것을 알았다.

05

그녀는 어젯밤에 TV를 봤다고 말했다.

She said that she had watched TV last night.

그녀는 매일 TV를 본다고 말했다.

 Self Check 나는 수와 시제를 일치하여 문장을 바르게 쓸 수 있다. Yes ◯ / No ◯

주어진 말을 배열하여 쓰기

06

각 학생은 특별한 재능이 있다. (talent, each, has, special, student, a)

07

그 정원의 5분의 2가 장미로 덮여 있다. (roses, is covered with, of the garden, two-fifths)

3주

5일

08

그는 물이 100도에서 끓는다고 배웠다. (boils, he, learned, at 100℃, water, that)

09

우리는 뉴턴이 중력을 발견했다는 것을 안다. (gravity, that, we know, discovered, Newton)

gravity 중력

10

그들은 부산에 살았었다고 말했다. (in Busan, they said, had lived, that, they)

 Self Check 나는 수와 시제가 일치하는 문장을 완성할 수 있다. Yes ◯ / No ◯

▶ 보라색 글자에 유의하며, 만화를 읽어 봅시다.

①

I bought a shirt for my bother. It will be delivered.

②

Happy Birthday~!

③

This shirt is given to me by my sister.

④

My room is filled with presents.

HELP!

해석

① 나는 남동생을 위해 셔츠를 하나 샀다. 그것은 내일 배달될 것이다.

② 생일 축하해!

③ 이 셔츠는 누나에 의해 내게 주어진 것이다.

④ 내 방은 선물로 가득 차 있다.

남: 도와줘!

대상이나 행위 자체를 강조할 때는 수동태를 써요. 수동태는 'be동사+과거분사' 형태로 나타내는데, 조동사가 있을 때는 '조동사+be+과거분사'로 써요.

보라색 글자에 유의하며, 만화를 읽어 봅시다.

❶

❷

It rained a lot. If it **hadn't rained**, I **would have gone** out for work.

❸

It is too hot today.

❹

If it **was** not hot, I **would go** out for work. I **had better** stay at home today.

해석

❷ 거북: 비가 많이 왔네. 만약 비가 오지 않았으면, 난 일하러 갔을 텐데.

❸ 거북: 오늘은 너무 덥네.

❹ 거북: 만약 덥지 않으면, 나는 일하러 갈 텐데. 나는 오늘 집에 머무는 게 낫겠다.

현재 사실과 반대되거나 실제로 일어날 가능성이 없을 때는 가정법 과거를, 과거 사실과 반대되는 일을 가정할 때는 가정법 과거완료를 써요.

A 그림을 보고, 주어진 말을 배열하여 써 봅시다.

1 　　**2**

3

1 A: The milk [＿＿＿＿＿＿＿＿＿＿] in the fridge. (be, must, kept)

우유는 냉장고에 두셔야 해요.

B: Okay. I'll keep that in mind.

네. 명심할게요.

2 A: My nose gets longer and longer.

제 코가 점점 길어져요.

B: You [＿＿＿＿＿＿＿＿＿＿] a lie. (not, had, tell, better)

너는 거짓말을 하지 않는 게 좋단다.

3 A: I'm going out, Mom.

엄마, 저 나가요.

B: [＿＿＿＿＿＿＿＿＿＿], I would wear boots. (I, if, were, you)

만약 내가 너라면, 부츠를 신을 텐데.

B 크로스워드 퍼즐을 완성해 봅시다.

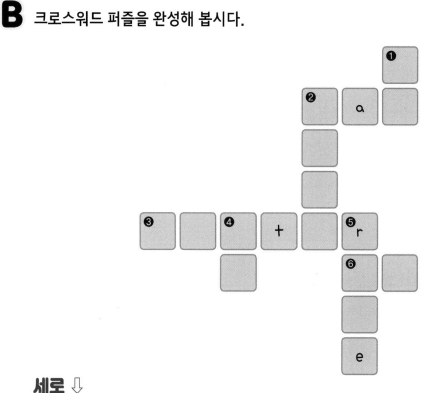

세로 ⇩

1 One-third of the country [　　　　　] desert. 국토의 1/3이 사막이다.

2 가정법 과거 문장에서 if절의 be동사는 [　　　　　]를 쓰는 것이 원칙이나 was를 쓰기도 한다.

4 The picture was shown [　　　　　] us by Ted. 그 사진은 Ted에 의해 우리에게 보여졌다.

5 I knew that they [　　　　　] bikes on Fridays.
나는 그들이 금요일마다 자전거를 타는 것을 알았다.

가로 ⇨

2 [　　　　　] the essay written by Fred? 그 에세이는 Fred에 의해 쓰여졌니?

3 had [　　　　　] : ~하는 게 좋다

6 Teenagers are interested [　　　　　] fashion. 십 대들은 유행에 관심이 있다.

C 번호를 따라 가며 문제를 풀어 봅시다.

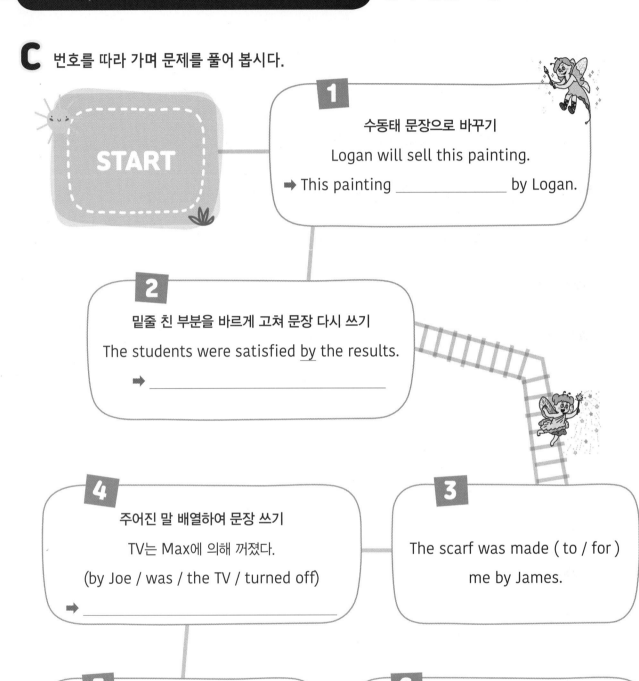

START

1

수동태 문장으로 바꾸기

Logan will sell this painting.

➡ This painting ＿＿＿＿＿＿＿ by Logan.

2

밑줄 친 부분을 바르게 고쳐 문장 다시 쓰기

The students were satisfied <u>by</u> the results.

➡ ＿＿＿＿＿＿＿＿＿＿＿＿＿

4

주어진 말 배열하여 문장 쓰기

TV는 Max에 의해 꺼졌다.

(by Joe / was / the TV / turned off)

➡ ＿＿＿＿＿＿＿＿＿＿＿＿

3

The scarf was made (to / for) me by James.

5

우리말로 쓰기

If we weren't tired, we would go to the movies.

➡ ＿＿＿＿＿＿＿＿＿＿＿

6

If he (closed / had closed) the window, he wouldn't have had a cold.

Answers p. 23

7

고양이는 바닥에서 자곤 했다.

The cat (will / would) sleep on the floor.

8

우리말로 쓰기

Junsu must have practiced hard.

➡ _____

10

밑줄 친 부분을 고쳐 문장 다시 쓰기

Each room <u>were</u> cleaned by Sam.

➡ _____

9

He cannot (do / have done) his homework.

그가 숙제를 했을 리가 없다.

11

A number of trees (is / are) cut down every year.

12

주어진 말을 알맞은 형태로 바꿔 문장 완성하기

He learned that the Sun _____ (rise) in the East.

FINISH

[01-02] 올바른 문장을 골라 봅시다.

01

a. The kids were scared by him.

b. The machines were fixed not by Steve.

02

a. The box will delivered tomorrow.

b. The computer can be used by every student.

[03-05] 밑줄 친 부분을 바르게 고쳐 문장을 다시 써 봅시다.

03

Milk was brought <u>for the man</u> by the cow.

➡

04

The roof was covered <u>by</u> snow.

➡

05

If I knew his address, I <u>can</u> send him a present.

➡

[06-07] 주어진 말을 바르게 배열하여 써 봅시다.

06

만약 비가 왔다면, 우리는 집에 머물렀을 텐데. (it, had, if, rainy, been)

_____ , we would have stayed at home.

07

그는 밤에 간식을 먹지 않는 게 좋다. (eat snacks, had, he, better, not)

_____ at night.

[08-10] 괄호 안에서 알맞은 말을 골라 문장을 다시 써 봅시다.

08

It must (snow / have snowed) last night. 어젯밤에 눈이 왔음에 틀림없다.

○ _____

09

Each ant (carry / carries) one piece of grain.

○ _____

10

He said that the Sun (rises / rose) in the East.

○ _____

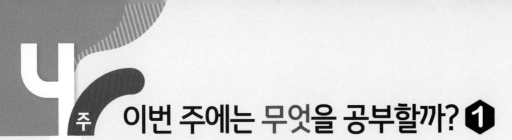
🔍 **알아두면 좋은 용어** 비교급, 최상급, 배수 표현

A is **smaller** **than** B.

비교급
더 작은 　　　 ~보다

 두 대상을 비교하여 '…보다 더 ~한/하게'라는 의미를 나타낼 때 비교급을 써요.
보통 형용사나 부사 뒤에 -er을 붙이고,
3음절 이상의 형용사나 부사 앞에는 more을 써서 표현해요.

A is **the smallest** of the three.

최상급
가장 작은 　　　　　　　 셋 중

최상급은 셋 이상을 비교하여 '…(중)에서 가장 ~한/하게'라는 의미를 나타내요.
보통 형용사나 부사 뒤에 -est를 붙이고
3음절 이상의 형용사나 부사 앞에는 most를 써요.

twice 　　 **three** **times** 　　 **four** **times**

두 배 　　　　　　　 세 배 　　　　　　　 네 배

 '몇 배'를 나타내는 배수 표현을 쓸 때 두 배는 twice로,
그 이상은 '숫자+times'로 써요.

I don't know　　what he reads.

간접의문문

나는 모른다　　그가 무엇을 읽는지

문장에서 의문문이 그 문장의 일부로 쓰일 때 간접의문문이라고 해요.

He is tired and sleepy.

접속사

피곤한　　그리고　　졸린

접속사는 '그리고, 그러나, 또는'처럼 단어와 단어, 구와 구, 절과 절 등을 연결하는 역할을 해요.

4주

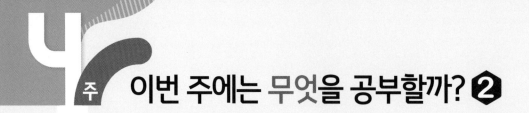

이번 주에는 무엇을 공부할까? ❷

비교급과 최상급

비교급: 두 대상을 비교하여 '···보다 더 ~한' 것을 나타낸다. 보통 형용사나 부사에 -er을 붙인다.
최상급: 셋 이상을 비교하여 '가장 ~한' 것을 나타낸다. 보통 형용사나 부사에 -est를 붙인다.

A giraffe is **taller than** a monkey.
기린은 원숭이보다 키가 더 크다.

A giraffe is **the tallest** in the zoo.
기린은 동물원에서 가장 키가 크다.

○ Answers **p. 24**

❷-1 비교급과 최상급을 써 봅시다.

01 busy – [   ] – busiest

02 strong – stronger – [   ]

03 hot – hotter – [   ]

04 large – [   ] – largest

05 polite – [   ] – most polite

06 expensive – more expensive – [   ]

접속사

'그리고, 그러나, 또는' 처럼 단어와 단어, 구와 구, 절과 절 등을 연결한다.

She plays **both** soccer **and** tennis.

그녀는 축구와 테니스 둘 다 한다.

○ Answers p. 24

❷-2 접속사에 밑줄을 쳐 봅시다.

01 I want a hamburger and soda.

02 The dog is big but cute.

03 She got up early since she had a test.

04 He or she made breakfast.

05 Though it snowed, they went outside.

06 While we watched TV, he took a shower.

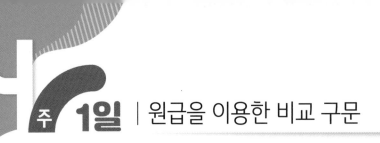

원급은 형용사와 부사의 원래 형태로 비교하는 두 대상의 정도가 같을 때 써요.

as+원급+as ~만큼 …한

The fox is as creative as I am.

여우가 나만큼 창의적이잖아.

not as/so+원급+as ~만큼 …하지 않은

The tiger is
not as creative as I am.

호랑이는 나만큼 창의적이진 않군.

배수 표현+as+원급+as ~배 더 …한

He has
three times as many as I do.

그는 나보다 세 배 더 많이 가졌잖아.

그럼 나도……

원급을 이용하여 비교할 때 비교 대상에 유의해요.

He jumps **as high as** she <u>does</u>. 그는 그녀만큼 높이 뛴다.

The jam is **not as delicious as** <u>hers</u>. 그 잼은 그녀의 것만큼 맛있지 않다.

원급을 이용한 비교 구문을 영어 문장 속에서 익혀 보세요.

- My painting is **as beautiful as yours.** 내 그림은 네 것만큼 아름답다.

- Joe's score was **not as good as mine.** Joe의 성적이 내 것만큼 좋지 않았다.

- This building is **four times as tall as that one.** 이 빌딩은 저 빌딩보다 네 배 더 높다.

개념 원리 확인

◦ Answers p. 24

A   알맞은 말 고르기

01   My cat is as (small / smaller) as my dog.

02   Your bag is not as heavy (as / than) mine.

🐱 비교 대상이 같을 때 소유대명사로 쓸 수 있어요.

03   Max's dad is three (time / times) as old as Max.

🐱 배수를 표현할 때 두 배는 twice, 그 이상은 '숫자+times'로 표현해요.

04   The jacket was (as / more) new as the shoes.

05   This tree is (two / twice) as thick as that one.

06   Cooking was not (so / than) difficult as baking.

🐱 원급 비교의 부정에서 첫 번째 as는 so로 쓰기도 해요.

B   밑줄 친 부분을 우리말로 쓰기

01   Your hair is <u>twice as long as</u> his.

02   She likes baseball <u>as much as I do</u>.

03   The building is <u>not as high as the tower</u>.

04   A cow is <u>ten times as large as a sheep</u>.

05   The movie was <u>not so interesting as the book</u>.

06   Today will be <u>as cold as yesterday</u>.

4주 1일 | 여러 가지 비교급 표현

 두 대상의 차이를 나타낼 때 형용사 또는 부사의 비교급을 써요.

비교급 형용사 / 부사의 비교급＋than: …보다 더 ~한/하게

The movie is **more exciting than** the book. 영화는 책 보다 더 재미있다.
형용사와 부사가 3음절 이상일 때 more를 붙여요.

비교급 강조 훨씬 더 ~한/하게

a lot, even, far, much, still＋비교급

The rabbit runs **much faster** than the turtle.
토끼는 거북이보다 훨씬 더 빨리 달린다.

비교급 and 비교급 점점 더 ~한/하게

They are going down **deeper and deeper**.
그들은 점점 더 깊이 들어가고 있다.

the 비교급 ~, the 비교급 … ~하면 할수록 더 …한/하게

The more the rabbit eats, **the happier** the king is.
토끼가 많이 먹을수록 왕은 더 행복하다.

여러 가지 비교급 표현을 영어 문장 속에서 익혀 보세요.

• Time is **more important than** money. 시간이 돈보다 더 중요하다.

• The red ball is **far smaller** than the blue one. 빨간색 공이 파란색 공보다 훨씬 더 작다.

• The sky is getting **darker and darker**. 하늘이 점점 더 어두워지고 있다.

• **The less** you spend, **the more** you save. 네가 적게 쓸수록 더 많이 저축한다.

개념 원리 확인

A   알맞은 말 고르기

01 The more you have, the (many / more) you want.

02 She is (a lot / very) more popular than Amy.

03 The plane is flying (high and high / higher and higher).

04 The colder the weather is, the (better / best) he feels.

05 The stadium was (very / far) bigger than the park.

06 His voice got (loud and loud / louder and louder).

B   밑줄 친 부분 바르게 고쳐 쓰기

01 Your coat is much <u>warm</u> than mine.
🐱 비교 대상의 종류가 같을 때는 소유대명사를 써요. mine = my coat

02 The balloon became smaller and <u>smallest</u>.

03 The situation became <u>worser</u> than before.

04 <u>The long</u> we waited, the angrier we became.

05 It's getting hotter <u>or</u> hotter.

06 The table is far <u>most</u> expensive than the chair.

4주 1일 기초 집중 연습

원급과 비교급을 써서
문장을 완성하세요.

주어진 말을 활용하여 문장 완성하기

01

내 방은 내 동생의 방보다 훨씬 더 깨끗하다.

My room is _____ than my brother's.

much,
clean

🐱 my brother's 뒤에 room이 생략되었어요.

02

파란색 가방은 초록색 가방만큼 무겁지 않다.

The blue bag is _____ the green one.

not,
heavy

🐱 one = bag.

03

네가 더 친절하면 할수록 더 많은 사람들이 너를 좋아할 것이다.

_____ you are, the more people will like you.

kind

04

기차가 점점 더 느려지고 있었다.

The train was getting _____ .

slow

05

네 눈사람이 내 것보다 두 배 더 크다.

Your snowman is _____ mine.

big

> ### 주어진 말을 배열하여 쓰기

06

그는 Jessica만큼 어리지 않다. (as, not, young, Jessica, as, is, he)

07

할머니는 나보다 네 배 더 나이가 많으시다. (as, four times, my grandmother, I am, is, old, as)

08

그녀는 점점 더 빨리 말하고 있다. (she, faster, speaking, and, faster, is)

09

Paul은 그의 누나보다 훨씬 더 일찍 일어났다. (than, got up, Paul, earlier, his sister, a lot)

10

나는 친구가 많을수록 더 행복하다. (the more, friends, I am, I have, the happier)

Self Check 나는 비교 표현을 이용하여 문장을 비교하여 쓸 수 있다. Yes ◯ / No ◯

셋 이상을 비교하여 '…(중)에서 가장 ~한/하게'라는 의미를 나타낼 때 최상급을 써요.
최상급은 형용사나 부사에 -est를 붙여서 만들어요.

the 최상급 ~ of+비교 대상(복수) the 최상급 ~ in+장소·범위(단수)	…(중)에서 가장 ~한/하게
one of the 최상급+복수 명사	가장 ~한 …중 하나
the 최상급+명사+(that+)주어+have/has+(ever+)과거분사	지금까지 …한 것 중 가장 ~한

여러 가지 최상급 표현을 영어 문장 속에서 익혀 보세요.

• **Hallasan is the highest mountain in Korea.** 한라산은 한국에서 가장 높은 산이다.

• **Stacey is the tallest of the five.** Stacey는 다섯 중 가장 키가 크다.

• **This is one of the most difficult questions.** 이것은 가장 어려운 문제 중 하나이다.

• **London is the busiest city that we've ever visited.** 런던은 우리가 지금까지 방문한 도시 중 가장 붐빈다.

개념 원리 확인

Answers p. 26

A 알맞은 말 고르기

01 Jessica is (younger / the youngest) girl of the three.

02 Mark is the most popular student (for / in) his class.

03 Rome is the (good / best) city we've ever visited.
　　　🐱 we've = we have

04 Is he one of the (greatest / most great) artists in Canada?

05 Alice is the most beautiful person that I've ever (meet / met).

B 주어진 말을 배열하여 쓰기

01 그는 열 명 중 가장 창의적인 작가였다. (the, creative, most)

He was [   ] writer of the ten.

02 내 고양이는 세상에서 가장 행복한 동물이다. (happiest, the, animal)

My cat is [   ] in the world.

03 그 사원은 이 마을에서 가장 오래된 장소 중 하나이다. (the, one, oldest, of)

The temple is [   ] places in this town. 🐱 temple 사원

04 이것은 그들이 지금까지 본 것 중 최악의 영화이다. (worst, the, movie)

It is [   ] that they've ever seen.

05 이것은 지금까지 내가 읽은 것 중 가장 지루한 책이다. (ever, read, have)

This is the most boring book I [   ].

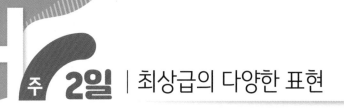

4주 2일 | 최상급의 다양한 표현

원급과 비교급을 이용하여 최상급과 같은 의미를 나타낼 수 있어요.

= Home is **better than any other place**. 집은 다른 어떤 장소보다 더 좋다.

= Home is **better than all the other places**. 집은 다른 모든 장소들보다 더 좋다.

= **No other place** is **better than** home. 다른 어떤 장소도 집보다 더 좋지 않다.

= **No other place** is **as good as** home. 다른 어떤 장소도 집만큼 좋지 않다.

비교급+than any other+단수 명사	다른 어떤 ~보다 더 …한
비교급+than all the other+복수 명사	다른 모든 ~들보다 더 …한
No (other)+명사+동사+비교급+than	다른 어떤 ~도 ―보다 더 …하지 않다
No (other)+명사+동사+as[so]+형용사/부사+as	다른 어떤 ~도 ―만큼 …하지 않다

최상급의 다양한 표현을 영어 문장 속에서 익혀 보세요.

This is the most interesting movie. 이것은 가장 흥미로운 영화이다.

= **This is more interesting than any other movie.** 이것은 다른 어떤 영화보다 더 흥미롭다.

= **This is more interesting than all the other movies.** 이것은 다른 모든 영화들보다 더 흥미롭다.

= **No (other) movie is more interesting than this.** 다른 어떤 영화도 이것보다 더 흥미롭지 않다.

= **No (other) movie is as [so] interesting as this.** 다른 어떤 영화도 이것만큼 흥미롭지 않다.

개념 원리 확인

○ Answers p. 26

A 개념 다지기

 이 문장을 다양한 최상급 문장으로 완성해 봐.

This is the oldest tree in the park. 이것은 공원에서 가장 오래된 나무이다.

= This is older than **01** [　　　　] tree in the park.

= This is older than **02** [　　　　] trees in the park.

= No other tree is **03** [　　　　] this in the park.

= No other tree is as **04** [　　　　] this in the park.

B 밑줄 친 부분 바르게 고쳐 쓰기

01　The ant is smaller than any other <u>animals</u>.　[　　　　]

02　The star is brighter than all the other <u>star</u> in the sky.　[　　　　]

03　No other car is as <u>faster</u> as the red car.　[　　　　]

04　The rose is <u>beautiful</u> than any other flower.　[　　　　]

05　No writer is as famous <u>than</u> Shakespeare.　[　　　　]

> 최상급 표현을 써서
> 문장을 완성하세요.

주어진 말을 활용하여 문장 완성하기

01

축구는 세상에서 가장 인기 있는 운동 중 하나이다. (one, popular, sports)

Soccer is _____ in the world.

02

그녀는 우리가 본 가장 유명한 가수이다. (famous, singer)

She is _____ we've ever seen.

03

치타는 동물원에서 다른 어떤 동물보다 더 빠르다. (fast, any other)

The cheetah is _____ in the zoo.

04

한국에서 다른 어떤 섬도 이 섬보다 더 아름답지 않다. (no other, beautiful)

_____ this island in Korea.

05

이곳은 그 마을에 있는 다른 모든 상점들보다 더 작다. (small, all the other, stores)

This is _____ in the village.

 Self Check 나는 최상급 표현을 활용하여 문장을 완성할 수 있다. Yes ◯ / No ◯

> ## 주어진 말을 배열하여 쓰기

06

그는 팀에서 최고의 선수이다. (the best, in the team, player, is, he)

07

그녀는 넷 중 가장 친절한 교사이다. (she, of the four, the kindest teacher, is)

08

다른 어떤 학생도 Beth보다 힘이 세지 않다. (no other, is, stronger, than, student, Beth)

09

태양은 다른 모든 행성들보다 더 크다. (is, the Sun, all the other, bigger, planets, than)

🐱 planet 행성

10

다른 어떤 사람도 Ted만큼 부지런하지 않다. (Ted, no other, is, as diligent as, person)

Self Check 나는 최상급 표현으로 문장을 쓸 수 있다. Yes ◯ / No ◯

 의문사가 없는 의문문은 '동사+주어'로 시작해요.

be동사가 쓰일 때

Are bees insects? 벌은 곤충이니?
be동사 주어

일반동사가 쓰일 때

Do bees make honey? 벌은 꿀을 만드니?
조동사 주어 일반동사

 의문사가 있는 의문문은 '의문사+동사+주어'로 시작해요.

be동사가 쓰일 때

'왜'인지 물을 때
Why are bees busy in summer? 왜 벌은 여름에 바쁘니?
의문사 be동사 주어

'누구'인지 물을 때
Who did bees sting?
벌이 누구를 쏘았니?

why

who

의문사

when

'어떻게'인지 물을 때
How do bees see?
벌은 어떻게 보니?

how

what

'무엇'인지 물을 때
What do bees eat?
벌은 무엇을 먹니?

'언제'인지 물을 때
When do bees dance?
벌은 언제 춤을 추니?

where

'어디'인지 물을 때
일반동사가 쓰일 때
Where do bees live? 벌은 어디에서 사니?
의문사 조동사 주어 동사원형

의문사가 없는 의문문	be동사가 쓰일 때	Be동사+주어 ~?
	일반동사가 쓰일 때	Do[Does]/Did+주어+동사원형 ~?
의문사가 있는 의문문	be동사가 쓰일 때	의문사+be동사+주어 ~?
	일반동사가 쓰일 때	의문사+do[does]/did+주어+동사원형 ~?

의문사가 있는 의문문에는 Yes/No로 대답하지 않아요.

의문문을 영어 문장 속에서 익혀 보세요.

• **Is it windy today?** 오늘 바람이 많이 부니?

• **When does she come home?** 그녀는 언제 집에 오니?

개념 원리 확인

○ Answers p. 27

A 알맞은 말 고르기

01 (What / Is) does this sign mean? 🐱 sign 표지판

02 (Are / Why) the boys good at English?

03 (Did / When) is Ms. Anderson's birthday?

04 (Does / How) your car often break down? 🐱 break down 고장 나다

05 (Why / What) were you late for the meeting? 🐱 be late for ~에 늦다

06 (Is / Did) they meet last Monday?

B 알맞은 대답 고르기

ⓐ In April.	ⓑ Because I had a headache.	ⓒ Yes, they are.
ⓓ No, she doesn't.	ⓔ Chris Jones.	ⓕ Yes, I do.

01 Why did you go see a doctor?

02 Who is the leader of the team?

03 Does your sister walk to school?

04 When did Jay and Ashley get married? 🐱 get married 결혼하다

05 Are the students ready for the test? 🐱 be ready for ~할 준비가 되다

4주 3일 | 간접의문문

의문문 What is his name?

'그의 이름이 뭐니?'라고 묻는 의문문이네.

간접의문문 I don't know what his name is.

이 문장을 봐. 의문문이 '의문사＋주어＋동사' 형태로 다른 문장의 일부로 들어갔지? 이게 바로 간접의문문이야.

간접의문문을 만드는 방법을 더 자세히 알려줘.

의문사가 있는 의문문

I don't know. + What is his name?
➡ I don't know <u>what</u> <u>his name</u> <u>is</u>.
　　　　　　　의문사　　주어　　동사
나는 그의 이름이 무엇인지 몰라.

의문사가 있는 경우, 주어와 동사의 순서를 바꿔서 '의문사＋주어＋동사' 형태로 써.

의문사가 없는 경우에는 '주어＋동사' 앞에 if나 whether를 써.

의문사가 없는 의문문

I don't know. + Is he a singer?
➡ I don't know <u>if</u> <u>he</u> <u>is</u> a singer.
　　　　　　　접속사 주어 동사
나는 그가 가수인지 모른다.

간접의문문에 대해 읽고, 영어 문장 속에서 익혀 보세요.

1 의문사가 있는 간접의문문: 의문사＋주어＋동사

2 의문사가 없는 간접의문문: if / whether＋주어＋동사

- **Tell me. + What does she like?**　내게 말해 줘. 그녀는 무엇을 좋아하니?
  → **Tell me what she likes.**　그녀가 무엇을 좋아하는지 내게 말해 줘.
- **I'm not sure. + Is it raining?**
  → **I'm not sure whether it is raining.**　나는 비가 오고 있는지 확신이 없다.

개념 원리 확인

○ Answers p. 27

A 알맞은 말 고르기

01 Did you know (if / what) she ate for lunch?

02 She wonders (whether / what) her parents are upset.
   😺 wonder 궁금하다

03 Can you tell me (where / if) he is a new teacher?

04 Tell him (where we went / where did we go) last night.

05 I wonder if (will he bring / he will bring) some snacks.
   😺 bring some snacks 간식을 가져오다

06 Do you know how much (the cake is / is the cake)?

B 밑줄 친 부분 바르게 고쳐 쓰기

01 Tell us <u>who does Eric trust</u>. 😺 trust 신뢰하다

02 They didn't know <u>why was she</u> crying.

03 He didn't remember <u>where was his cap</u>.

04 Please tell us <u>if is Jessica</u> an American.

05 Do you know <u>when did she get</u> up this morning?

06 I'm not sure <u>whether will they</u> visit us.

3일 기초 집중 연습

> **주어진 말을 배열하여 쓰기**

01 그들은 박물관에 어떻게 가니? (do, go to, how, the museum, they)

02 Chris는 오늘 오후에 도서관에 있었니? (at the library, was, this afternoon, Chris)

03 왜 그의 아버지는 그에게 화가 나셨니? (his father, was, why, with him, upset)

04 Brian은 학교에 자전거를 타고 가니? (his bike, Brian, to school, ride, does)

05 Kyle은 네 생일에 네게 무엇을 주었니? (Kyle, give you, what, for your birthday, did)

 나는 주어진 말을 바르게 배열하여 의문문을 만들 수 있다. Yes ◯ / No ◯

> **의문문을 간접의문문으로 바꿔 쓰기**

06

Who has the plane tickets?

I wonder   .

07

Can Ms. White speak French?

Let me know   .

08

Where is the closest subway station?

Tell me   .

09

Did Sally lock the door?

I want to know   .

10

When does the show start?

Can you tell me   ?

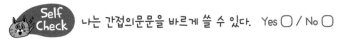

Self Check 나는 간접의문문을 바르게 쓸 수 있다. Yes ◯ / No ◯

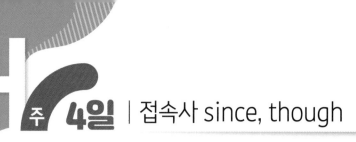

접속사 since, though를 영어 문장 속에서 익혀 보세요.

- The bear has lived in the farm **since** we found it. 그 곰은 우리가 발견했을 때부터 농장에서 살고 있다.
- **Since** he didn't study hard, he failed the exam. 그는 열심히 공부하지 않았기 때문에 시험에 떨어졌다.
- **Though** she is small, she is strong. 그녀는 작지만 힘이 세다.

개념 원리 확인

○ Answers p. 28

A 알맞은 말 고르기

01 I've known Tom (though / since) I was 10.
🐱 보통 시간을 나타내는 since가 이끄는 절은 과거, 주절에는 현재완료를 써요.

02 He couldn't sing (though / since) he had a cold.

03 (Since / Though) I was tired, I went out.

04 I've liked her (since / though) we first met.

05 He often feels lonely (since / though) he has many friends.
🐱 though가 이끄는 절이 뒤에 올 때는 주절 끝에 콤마(,)를 쓰지 않아요.

B 주어진 말을 배열하여 쓰기

01 그는 아팠지만, 숙제를 끝냈다. (felt, he, though, sick)

[   ], he finished his homework.

02 공휴일이기 때문에 가게들은 문을 닫는다. (it, a holiday, is, since)

[   ], the stores are closed.

03 해가 나지만 어제만큼 춥다. (the sun, though, comes out)

[   ], it is as cold as yesterday.

04 우리가 작년에 그녀를 본 이후로 그녀는 키가 컸다. (saw, since, we, her)

She got taller [   ] last year.

05 그가 떠난 이후로 나는 그를 그리워하고 있다. (left, since, he)

I've missed him [   ].

while   ~동안에, ~하는 반면에

The world changed a lot while I was in the lamp.
내가 램프 안에 있는 동안에 세상이 많이 변했다.

While people live in the house, I live in the lamp.
사람들은 집에 사는 반면에, 나는 램프에 산다.

as soaon as   ~하자마자

As soon as we sat down on the carpet, it began to fly. 우리가 양탄자에 앉자마자 그것이 날기 시작했다.

We felt great as soon as we flew up.
우리는 날아오르자마자 기분이 아주 좋았다.

whether/if   ~인지(아닌지)

The question is whether I will go back into the lamp. 문제는 내가 램프 안으로 들어갈 것인지이다.

I haven't decided if I will go back into the lamp.
나는 램프 안으로 돌아갈지 아직 결정하지 못했다.

접속사 while, as soon as, whether/if를 영어 문장 속에서 익혀 보세요.

- **Don't use your cellphone while you're driving.** 운전하는 동안 휴대폰을 사용하지 마라.

- **As soon as she got home, she cleaned the house.** 그녀가 집에 도착하자마자 집을 청소하기 시작했다.

- **I'm not sure whether this soup is hot.** 나는 이 수프가 뜨거운지 확신할 수 없다.

개념 원리 확인

○ Answers p. 28

A while, as soon as, whether 중 알맞은 말 쓰기

01 그의 형은 아이스크림을 좋아하지 않는 반면에 그는 좋아한다.

He likes ice cream [   ] his brother doesn't.

😺 doesn't 뒤에 like ice cream이 생략되었어요.

02 그들은 소식을 듣자마자 그에게 달려갔다.

[   ] they heard the news, they ran to him.

03 우리는 그가 상을 탈 것인지 궁금하다.

We wonder [   ] he will win the prize.

04 토끼들은 호랑이를 보자마자 도망갔다.

The rabbits ran away [   ] they saw the tiger.

05 내가 없는 동안에 내 강아지를 돌봐주겠니?

Can you take care of my dog [   ] I'm away?

B 알맞은 말 고르기

01 I saw the accident (whether / while) I was waiting for my friend.

😺 wait for ~를 기다리다

02 They wonder (whether / while) there are ghosts or not.

😺 whether가 사용될 때, whether 바로 뒤나 절의 끝에 or not을 붙일 수 있어요.

03 (While / As soon as) I got up, I made breakfast.

04 Please let me know (if / while) the movie is fun.

05 (While / If) Kelly wants to watch TV, Jim wants to play games.

06 The question is (as soon as / whether) he is alive.

주 4일 기초 집중 연습

주어진 말을 이용하여 두 문장을 한 문장으로 쓰기

01 I went to bed. I fell asleep. (as soon as)

_____, I fell asleep.

🐱 fell은 fall의 과거형이에요.

02 Juliet is very responsible. She is young. (though) 🐱 responsible 책임감 있는

Juliet is very responsible _____.

03 It is not clear. David will go home after school. (whether)

It is not clear _____.

04 It was cold. She wore a warm jacket. (since)

_____, she wore a warm jacket.

05 Ella wants to go out. Jack wants to take a nap. (while)

Ella wants to go out _____.

 나는 접속사를 사용하여 두 문장을 한 문장으로 연결할 수 있다. Yes ◯ / No ◯

주어진 말을 배열하여 쓰기

06

그는 나를 보자마자 내게 손을 흔들었다. (soon, as, he, as, saw, me)

[   ], he waved at me.

07

우리는 일찍 집을 떠났지만, 버스를 놓쳤다. (we, early, left, though, home)

[   ], we missed the bus.

08

그가 도둑을 봤는지가 중요하다. (the thief, saw, whether, he)

[   ] is important.

🐱 whether가 이끄는 절은 문장에서 주어 역할을 할 수 있어요.

09

나는 열 두살 때부터 Paul을 알고 지낸다. (was, since, twelve, I)

I have known Paul [   ].

10

Amy가 책을 읽는 동안에 그 남자는 계속 노래를 불렀다. (Amy, books, reading, while, was)

The man kept singing [   ].

Self Check 나는 접속사를 사용하여 문장을 완성할 수 있다. Yes ◯ / No ◯

so 그래서

I was hungry, so I ate the fish.
나는 배고파서 생선을 먹었다.

so ~ that ... can 매우 ~해서 ...할 수 있다

I was so fast that I could eat it.
나는 너무 빨라서 그것을 먹을 수 있었다.

so ~ that 매우 ~해서 ...하다

My cat was so fast that he ate the fish. 고양이는 매우 빨라서 생선을 먹었다.

so ~ that ... can't 매우 ~해서 ...할 수 없다

He was so cute that I couldn't say anything. 그가 너무 귀여워서 나는 어떤 말도 할 수 없었다.

so that ~하기 위해

I stood up so that I could go to bed. 나는 잠자리에 들기 위해 일어섰다.

접속사 so, so ~ that, so that을 영어 문장 속에서 익혀 보세요.

- It was cold, **so** I put on my gloves. 추워서 나는 장갑을 꼈다.

- The food was **so** salty **that** we **couldn't** eat it. 음식이 너무 짜서 우리는 먹을 수 없었다.

- I came here **so that** I could talk to you. 나는 너에게 말하기 위해 여기에 왔다.

개념 원리 확인

○ Answers p. 29

A 밑줄 친 부분을 우리말로 쓰기

01 Open the windows <u>so that we can get</u> fresh air.

02 It snowed a lot, <u>so we canceled</u> the trip.

03 He felt <u>so sick that he couldn't work</u>.

시제가 과거일 때는 couldn't를 써요.

04 The book is <u>so cheap that she can buy</u> it.

B 주어진 말을 바르게 배열하기

01 바람이 너무 강해서 창문이 깨졌다. (the window, so, that, was broken, strong)

The wind was _____.

02 나는 건강을 유지하기 위해 매일 운동한다. (I, so that, can, keep healthy)

I exercise every day _____.

03 우리는 매우 열심히 일해서 과제를 끝낼 수 있었다. (we, that, could, hard, finish, so)

We worked _____ the project.

04 신발이 너무 작아서 그는 신을 수 없었다. (small, so, couldn't wear, that, he)

The shoes are _____ them.

05 Tony는 택시를 타서 젖지 않았다. (so, get wet, he, didn't)

Tony took a taxi, _____.

4주 5일 | 상관접속사

 상관접속사는 두 개 이상의 단어가 함께 쓰여 하나의 접속사 역할을 해요. 이때 짝이 되는 두 대상은 문법적으로 구조와 성격이 서로 같아야 해요.

상관접속사	의미	상관접속사가 주어일 때 수 일치
both *A* and *B*	A와 B 둘 다	동사는 복수 취급
either *A* or *B*	A와 B 둘 중 하나	
neither *A* nor *B*	A도 B도 아닌	동사는 B의 수에 일치
not only *A* but also *B* = *B* as well as *A*	A뿐만 아니라 B도	

상관접속사를 영어 문장 속에서 익혀 보세요.

- I want **both** chicken **and** pizza. 나는 치킨과 피자 둘 다 원한다.

- We can take **either** a bus **or** the subway. 우리는 버스와 지하철 둘 중 하나를 탈 수 있다.

- They have **neither** rice **nor** bread. 그들은 쌀도 빵도 없다.

- **Not only** Sam **but also** Tim likes horror movies. Sam뿐만 아니라 Tim도 공포 영화를 좋아한다.

개념 원리 확인

○ Answers p. 30

A 알맞은 말 고르기

01 (Both / Either) ants and bees live for a short time.

02 Neither Dad (or / nor) Mom is good at cooking.

03 He is not only handsome (but / and) also intelligent.

04 We will take the exam (either / neither) in June or July.

05 Steve as well as his brothers (is / are) very honest.

06 Not only the shirt but also the pants (was / were) wet.
😺 Not only A but also B가 주어일 때, 동사의 수는 B에 일치시켜요.

B 밑줄 친 부분 바르게 고쳐 쓰기

01 The weather is not only cold <u>and</u> also windy.

02 Either you or your brother <u>have</u> a car.

03 Neither the cat nor the dog <u>are</u> not sleepy.

04 Both the pen <u>or</u> the ruler are not mine.

05 Choose either orange juice <u>nor</u> apple juice.

06 I not only cooked dinner but also <u>wash</u> the dishes.
😺 상관접속사가 이어주는 말은 문법적으로 동등해야 해요.

5일 기초 집중 연습

상관접속사가 이어주는 말은 문법적으로 동등해야 한다는 것을 꼭 기억하세요.

주어진 말을 활용하여 문장 완성하기

01
Tom도 나도 기타를 잘 연주하지 못한다. (neither, nor, be)

good at playing the guitar.

02
그 책은 너무 어려워서 나는 두 번 읽었다. (so, difficult, that)

I read it twice.

03
나는 아파서 운동할 수 없었다. (so, work out) work out 운동하다

I felt sick,   .

04
너와 너의 여동생 둘 중 한 명이 나와 함께 갈 수 있다. (either, or)

can go with me.

05
학생들뿐만 아니라 선생님들도 공연을 즐겼다. (not only, but also)

enjoyed the show.

 Self Check 나는 접속사를 이용하여 문장을 완성할 수 있다. Yes ◯ / No ◯

> **주어진 말을 배열하여 쓰기**

06

그는 배가 너무 고파서 한 마디도 할 수 없었다. (so, he, that, hungry, was)

                                he couldn't say a word.

07

우리는 시험에 통과하기 위해 열심히 공부하고 있다. (that, we, pass the exam, so, can)

We are studying hard   .

08

그는 스페인어와 영어 둘 다 말할 수 있다. (Spanish, English, both, and)

He can speak   .

09

나는 피아노도 기타도 연주하지 못한다. (nor, the piano, the guitar, neither)

I can play   .

10

서점은 책뿐만 아니라 잡지도 판다. (as, magazines, as, well, books)

The bookstore sells   .

 Self Check 나는 접속사가 쓰인 문장을 완성할 수 있다. Yes ○ / No ○

◆ 보라색 글자에 유의하며, 만화를 읽어 봅시다.

① This is the most wonderful carpet I've ever seen.

② As soon as I sit down on it, it begins to fly.

③ The higher I fly, the more I can see.

④ Uh oh. It was a dream!

해석

① 이것은 내가 본 것 중 가장 멋진 양탄자이다.

② 내가 그것에 앉자마자, 날기 시작한다.

③ 내가 높이 날수록 더 많이 볼 수 있다.

④ 여: 이런. 꿈이었잖아!

'the 최상급+명사 (that)+주어 have/has (ever)+과거분사'는 '지금까지 …한 것 중 가장 ~한'의 의미로 최상급 표현이에요. 'the 비교급 ~, the 비교급 …'은 '~할수록 더 …하다'라는 의미예요.

보라색 글자에 유의하며, 만화를 읽어 봅시다.

해석

❶ 선생님: 이것이 무엇인지 아나요?
　　학생들: 그럼요. 그것은 공이에요.
❷ 선생님: 아닙니다. 이것은 새입니다.
❸ 남: 이게 토끼가 될지 궁금한가요?
❹ 선생님과 학생들 모두 신났다.

의문사가 있는 의문문이
'의문사+주어+동사'의 형태로
다른 문장의 일부로 들어갈 때
이를 간접의문문이라고 해요.

A 그림을 보고 대화를 완성해 봅시다.

1

2

3

1　A: You are [　　　　　] fast that I can't catch up.

　　네가 너무 빨라서 내가 따라잡을 수 없어.

　　B: I'm [　　　　　] as fast as you.

　　나는 너보다 두 배 더 빨라.

2　A: Tell me [　　　　　] you see.

　　네가 무엇을 보는지 내게 말해줘.

　　B: I can see [　　　　　] sky [　　　　　] stars.

　　나는 하늘과 별 둘 다 볼 수 있어.

3　A: [　　　　　] are your favorite snacks?

　　네가 가장 좋아하는 간식이 무엇이니?

　　B: I like [　　　　　] only cookies [　　　　　] also candies.

　　나는 쿠키뿐만 아니라 사탕도 좋아해.

B 크로스워드 퍼즐을 완성해 봅시다.

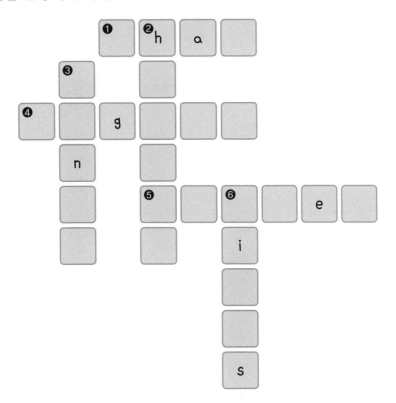

가로 ⇨

1 접속사 so [   ]은(는) '~하기 위해'라는 뜻이다.

4 The sunflower is [   ] than any other flower. 해바라기는 다른 어떤 꽃보다 더 크다.

5 상관접속사 [   ] A or B는 'A와 B 둘 중 하나'라는 뜻이다.

세로 ⇩

2 The balloon is going up [   ] and higher. 풍선은 점점 더 높이 올라간다.

3 접속사 [   ]은(는) '~이후로, ~ 때문에'라는 뜻이다.

6 My box is three [   ] as heavy as yours. 내 상자가 네 것보다 세 배 더 무겁다.

C 번호를 따라가며 문제를 풀어 봅시다.

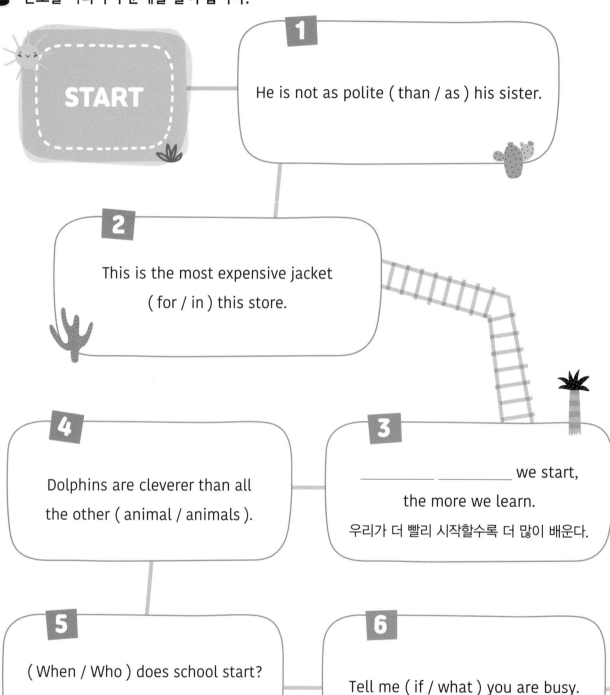

START

1 He is not as polite (than / as) his sister.

2 This is the most expensive jacket (for / in) this store.

4 Dolphins are cleverer than all the other (animal / animals).

3 _____ _____ we start, the more we learn.
우리가 더 빨리 시작할수록 더 많이 배운다.

5 (When / Who) does school start?
– It starts at 8:50.

6 Tell me (if / what) you are busy.

○Answers **p. 31**

7

(Though / Since) I feel sick,

I have to go to school.

나는 몸이 아프지만 학교에 가야 한다.

8

_____ _____ _____ we

arrived, the food was served.

우리가 도착하자마자 음식이 나왔다.

10

우리말로 쓰기

The soup was so cold that

I couldn't eat it.

→ _____

9

I like _____ grapes _____

strawberries.

나는 포도와 딸기 둘 다 좋아한다.

11

He has played the violin

(since / while) he was young.

그는 어렸을 때부터 바이올린을 연주해왔다.

12

우리말로 쓰기

Neither he nor I was tired.

→ _____

FINISH

4주

특강

누구나 100점 테스트

[01-02] 올바른 문장을 골라 봅시다.

01

a. Today will be as cold as yesterday.

b. A cow is ten times as larger as a sheep.

02

a. The stadium was very bigger than the park.

b. The plane is flying higher and higher.

[03-05] 밑줄 친 부분을 바르게 고쳐 문장을 다시 써 봅시다.

03

The temple is one of the <u>older</u> places in this town.

➜

04

Home is better than any other <u>places</u>.

➜

05

<u>Were</u> they meet last Monday?

➜

[06-07] 주어진 말을 바르게 배열하여 써 봅시다.

06

나는 그가 간식을 가져올지 궁금하다. (some snacks, bring, he, if, will)

I wonder _____.

07

그는 친구가 많음에도 불구하고 종종 외롭다. (has, he, though, many friends)

He often feels lonely _____.

[08-10] 괄호 안에서 알맞은 말을 골라 문장을 다시 써 봅시다.

08

Can you take care of my dog (while / whether) I'm away?

➲ _____

09

I exercise every day (if / so that) I can keep healthy.

➲ _____

10

Either you or your brother (have / has) a car.

➲ _____

Memo

Memo

시작해 봐, 하루시리즈로!

#기초력_쌓고!
#공부습관_만들고!

시작은 하루 중학 국어

- 시
- 소설(개념)
- 소설(작품)
- 문법
- 비문학
- 수필

이 교재도 추천해요!

- 중학 국어 DNA 깨우기 시리즈 (비문학 독해 / 문법 / 어휘)

시작은 하루 중학 수학

- 1-1, 1-2
- 2-1, 2-2
- 3-1, 3-2

이 교재도 추천해요!

- 해결의 법칙 (개념 / 유형)
- 빅터연산

정답과 해설

중학 ★ 바탕 학습

문법 3

시작은
**하루
영어**

정답과 해설
포인트

▶ 혼자서도 이해할 수 있는 친절한 문제 해설

▶ 영어 문장의 우리말 해석 수록

정답과 해설

1주

❷-1 해석

01 그는 내게 빵을 주었다.

02 이 노래는 그녀를 스타로 만들었다.

03 James는 그 소녀에게 편지를 썼다.

04 우리 선생님은 우리에게 수학을 가르치셨다.

05 재원이는 그에게 그 소식을 말했다.

06 조 선생님은 그의 아들에게 컴퓨터를 사줄 것이다.

❷-2 해석

01 나는 내가 그들을 처음 만난 날을 잊을 수 없다.

02 나는 종종 엄마가 일하시는 도서관에 간다.

03 그 책은 우리에게 새가 나는 방법을 보여준다.

04 파리는 내 친구가 사는 도시이다.

05 그녀는 그들이 화가 난 이유를 몰랐다.

06 5월은 내가 태어난 달이다.

1일

문장의 형식

개념 원리 확인　　　　p. 11

A 01 barked　　02 want

03 was　　　04 bought
05 called　　06 enjoy

B 01 동사　　　02 목적격 보어
03 목적격 보어　04 주격 보어
05 목적어　　　06 직접목적어

A 01 '주어+동사'로 구성된 1형식 문장이다.

02, 05 '주어+동사+목적어+목적격 보어'로 구성된 5형식 문장이다.

03 '주어+동사+주격 보어'로 구성된 2형식 문장이다.

04 '주어+동사+간접목적어+직접목적어'로 구성된 4형식 문장이다.

06 '주어+동사+목적어'로 구성된 3형식 문장이다.

B 01 '주어+동사'로 구성된 1형식 문장이다.

02, 03 '주어+동사+목적어+목적격 보어'로 구성된 5형식 문장이다.

04 '주어+동사+주격 보어'로 구성된 2형식 문장이다.

05 '주어+동사+목적어'로 구성된 3형식 문장이다.

06 '주어+동사+간접목적어+직접목적어'로 구성된 4형식 문장이다.

B 해석

01 치타는 빨리 달린다.

02 너는 내가 너와 함께 가기를 원하니?

03 이 영화는 그를 스타로 만들었다.

04 치킨은 맛있는 냄새가 난다.

05 나는 그 문을 닫았다.

06 그는 그녀에게 꽃을 좀 주었다.

정답과 해설

사역동사와 지각동사

개념 원리 확인   p. 13

A 01 go   02 wash

     03 shout [shouting]   04 play [playing]

     05 jump [jumping]   06 clean

B 01 makes me laugh

     02 I saw her leave

     03 let their kids play outside

     04 watched Junseo kick the ball

A 01, 02, 06 'let, make, have+목적어+동사원형' 형태로 쓰는 것에 유의한다. 어떤 행동을 하게 허락할 때는 'let+목적어+동사원형'으로 쓴다.

     03, 04, 05 '지각동사+목적어+동사원형/동사의 -ing형' 형태로 쓰는 것에 유의한다.

B 01, 03 'let, make, have+목적어+동사원형' 형태로 쓰는 것에 유의한다.

     02, 04 '지각동사+목적어+동사원형/동사의 -ing형' 형태로 쓰는 것에 유의한다.

A 해석

     01 제가 캠프에 가게 허락해주세요.

     02 엄마는 내가 신발을 세탁하게 하셨다.

     03 나는 누군가가 크게 소리치는 것을 들었다.

     04 우리는 윤재가 피아노 치는 것을 들었다.

     05 나는 돌고래가 물 밖으로 점프하는 것을 보았다.

     06 그는 그의 남동생이 방을 청소하게 했다.

1일 기초 집중 연습   pp. 14~15

01 There are some books in the box.

02 The man and the boy look sad.

03 His parents made him a pianist.

04 I watched her water [watering] the plants.

05 Please let me use your computer.

06 The bread tastes great.

07 You will find this map useful.

08 Can you pass me the salt?

09 Dohee made me push the door.

10 We heard her singing a song.

01 some books가 복수이므로 are가 알맞다.
     There is/are ~: ~이 있다

02 감각동사 look 다음에는 형용사를 쓴다.

03 'make+목적어+명사' 형태가 되어야 하므로 him이 알맞다.

04 'watch+목적어+동사원형/동사의 -ing형'이므로 water 또는 watering이 알맞다.

05 'let+목적어+동사원형' 형태가 되어야 하므로 use가 알맞다.

06 'taste+형용사'에 유의하여 배열한다.

07 'find+목적어+형용사'에 유의하여 배열한다.

08 'pass+간접목적어+직접목적어'에 유의하여 배열한다.

09 'make+목적어+동사원형'에 유의하여 배열한다.

10 'hear+목적어+동사원형/동사의 -ing형'에 유의하여 배열한다.

A 해석

01 상자 안에는 책이 몇 권 있다.

02 그 남자와 소년은 슬퍼 보인다.

03 그의 부모님은 그를 피아니스트로 만들었다

04 나는 그녀가 화초에 물을 주는 것을 보았다.

05 제가 당신의 컴퓨터를 쓰게 해주세요.

2일

동사+목적어+형용사/명사

개념 원리 확인   p. 17

A 01 (Melissa), the president

     02 (me), Jackie   03 (the novel), interesting

04 the group, Stars **05** everyone, silent

06 my sister, sick

B **01** a liar **02** warm

03 him **04** difficult

05 leader **06** open

A '동사＋목적어＋형용사/명사'의 형태와 의미를 파악해 본다.

B '동사＋목적어＋형용사/명사'의 형태가 되도록 알맞은 말을 고른다.

06 open은 형용사로 쓰일 때 '열려 있는'의 뜻이다.

A 해석

01 그들은 Melissa를 회장으로 선출했다.

02 모든 사람은 나를 Jackie라고 불렀다.

03 그녀는 그 소설이 재미있다는 것을 알았다.

04 우리는 그 그룹을 Stars라고 이름 짓기로 결정했다.

05 그 남자는 모든 사람이 침묵을 지키게 했다.

06 이 음식은 내 여동생을 아프게 했다.

B 해석

01 제발 저를 거짓말쟁이라고 부르지 마세요.

02 그 재킷은 그녀를 따뜻하게 유지하게 했다.

03 Brown 씨는 그를 Thompson이라고 이름 지었다.

04 Jenny와 나는 그 책이 어렵다는 것을 알았다.

05 나는 Jessica를 대표로 선택하고 싶다.

06 너는 현관문을 열어 둘 수 있니?

동사＋목적어＋to부정사

개념 원리 확인 p. 19

A **01** me, to smile **02** the kids, to be

03 us, to do **04** him, to fix

05 her, to go

B **01** wanted us to get up

02 allowed them to go

03 expect my brother to wash

04 asks me to lend

05 told him to read

A want, ask, tell, expect, allow는 목적격 보어로 to부정사를 갖는 것에 유의한다.

B 'want, ask, tell, expect, allow＋목적어＋to부정사' 형태로 쓴다.

A 해석

01 나에게 더 미소 지으라고 말하지 마라.

02 너는 아이들에게 조용히 해달라고 요청해야 한다.

03 감독님은 우리가 다음에 무엇을 하길 원하시니?

04 너는 그가 그 기계를 고치리라고 기대하니?

05 선생님은 그녀가 보건실에 가는 것을 허락했다.

2일 기초 집중 연습 pp. 20 ~ 21

01 made the room messy

02 told us to attend the meeting

03 asked Helen to return the books

04 named the robot Big

05 found the movie funny

06 expected the weather to be warm

07 made her a great pianist

08 always keeps the kitchen clean

09 leaves his desk tidy

10 didn't allow Lucy to leave the hospital

01, 05 'make, find＋목적어＋형용사' 형태에 유의하여 쓴다.

02, 03 'tell, ask＋목적어＋to부정사' 형태에 유의하여 쓴다.

04 'name＋목적어＋명사' 형태에 유의하여 쓴다.

06, 10 'expect, allow+목적어+to부정사' 형태에 유의하여 배열한다.

07 'make+목적어+명사' 형태에 유의하여 배열한다.

08, 09 'keep, leave+목적어+형용사' 형태에 유의하여 배열한다.

3일

관계대명사

개념 원리 확인   p. 23

A 01 the TV show, 목적격

02 a book, 주격   03 a bag, 소유격

04 The bus, 주격   05 that woman, 소유격

06 the pen, 목적격

B 01 whose   02 that

03 which   04 that

05 whom   06 whose

B 01, 06 소유격 관계대명사 whose가 알맞다.

02, 03 선행사가 사물이므로 목적격 관계대명사 that/which가 알맞다.

04 선행사가 사물이므로 주격 관계대명사 that이 알맞다.

05 선행사가 사람이므로 목적격 관계대명사 whom이 알맞다.

A 해석

01 이것은 우리가 주말마다 시청하는 TV쇼이다.

02 Emma는 정치에 대한 책을 읽었다.

03 그는 색깔이 오렌지색인 가방이 있다.

04 시장으로 가는 버스는 일찍 왔다.

05 너는 직업이 작가인 저 여자를 아니?

06 나는 Judy가 내게 준 펜을 찾을 수 없다.

B 해석

01 털이 갈색인 그 개를 만지지 마라.

02 너는 네가 산 그 재킷이 마음에 드니?

03 그들이 방문하고 싶은 박물관은 오늘 연다.

04 영어로 쓰인 책이 몇 권 있다.

05 그가 어제 본 간호사는 내 여동생이었다.

06 그 요리사는 무척 유명한 식당을 가진 내 삼촌이다.

관계대명사 what

개념 원리 확인   p. 25

A 01 Jason이 사고 싶어 하는 것

02 그가 설명한 것

03 그녀가 점심으로 먹은 것

04 내가 사기로 결정한 것

05 우리가 필요한 것

B 01 what we should do

02 what he is making

03 what my brother wrote

04 What Jenny needed

05 what you cooked

A 문장에서 관계대명사 what이 이끄는 절의 역할: 01, 04 보어, 02 목적어, 03, 05 주어

B 'what+주어+동사' 형태로 배열한다.

A 해석

01 이것들은 Jason이 사고 싶어 하는 것들이다.

02 너는 그가 설명한 것을 이해했니?

03 그녀가 점심으로 먹은 것은 파스타였다.

04 저 자전거는 내가 사기로 결정한 것이다.

05 우리가 필요한 것은 조치를 취하는 것이다.

3일 기초 집중 연습   pp. 26~27

01 that I broke last week

02 whose branches were thin

03 what I need every day

04 who lived next door

05 whom we met on the elevator

06 what she bought yesterday

07 that he watched last night

08 which is on the table

09 whose roof was green

10 what happened to us in the morning

01, 05 목적격 관계대명사 that/which를 써서 바꿔 쓴다.

02 소유격 관계대명사 whose를 써서 바꿔 쓴다.

03 선행사를 포함하는 관계대명사 what을 써서 바꿔 쓴다.

04 주격 관계대명사 who를 써서 바꿔 쓴다.

06, 10 선행사를 포함하는 관계대명사 what절이 되도록 배열한다.

07 목적격 관계대명사가 이끄는 절이 되도록 배열한다.

08 주격 관계대명사가 이끄는 절이 되도록 배열한다.

09 소유격 관계대명사가 이끄는 절이 되도록 배열한다.

해석

01 아빠는 내가 지난주에 망가뜨린 컴퓨터를 고치셨다.

02 Harry는 나뭇가지가 얇은 나무를 보았다.

03 내 스마트폰은 내가 매일 필요로 하는 것이다.

04 우리는 옆집에 사시는 노부인을 도와드렸다.

05 너는 우리가 엘리베이터에서 만난 내 여동생을 알았다.

4일

관계대명사의 계속적 용법

개념 원리 확인   p. 29

A 01 who   02 whose

   03 whom   04 who

   05 who   06 which

B 01 which   02 whose

   03 which   04 who

   05 which   06 which

A 계속적 용법의 관계대명사절이 보충 설명하는 것: 01 an uncle
02 The bag 03 David 04 Nick 05 My grandmother
06 a T-shirt

B 계속적 용법의 관계대명사절이 보충 설명하는 것: 01 her bike
02 Alex 03 The roses 04 The man 05 the pictures
06 the building

A **해석**

01 그는 삼촌이 한 명 있는데, 음악가이다.

02 그 가방은 빨간색인데, 가격이 저렴하다.

03 그녀는 David를 좋아하는데, 그를 저녁 식사에 초대했다.

04 나는 지하철에서 Nick을 봤는데, 그는 유명한 배우이다.

05 나의 할머니는 로마에 사시는데, 손자가 다섯 명이다.

06 남수는 티셔츠를 입고 있는데, 그에게는 너무 크다.

B **해석**

01 나의 언니는 내게 그녀의 자전거를 줬는데, 그것은 바구니가 있었다.

02 Alex는 엄마가 요리사신데, 멋진 집을 갖고 있다.

03 그 장미들은 Ryan이 내게 준 것인데, 아름다워 보였다.

04 그 남자는 연설을 했는데, 내 아버지시다.

05 Sam은 내게 사진들을 보여줬는데, 그는 그것들을 멕시코에서 찍었다.

06 나는 건물 안으로 들어갔는데, 그것은 홍콩에서 가장 높다.

관계부사

개념 원리 확인   p. 31

A 01 where   02 how

   03 why   04 when

   05 the place   06 the way

정답과 해설

B 01 the reason 02 where
03 when 04 why

A 01 선행사 the city가 장소를 나타내므로 관계부사 where이 알맞다.

02 선행사가 없고, 의미상 방법을 나타내므로 관계부사 how가 알맞다.

03 선행사 the reason이 이유를 나타내므로 관계부사 why가 알맞다.

04 선행사 the month가 시간을 나타내므로 관계부사 when이 알맞다.

B 관계부사 why의 선행사는 the/any reason이다. 선행사가 장소일 때는 where, 시간일 때는 when을 쓴다.

A 해석

01 런던은 그가 태어난 도시이다.

02 그 동영상은 네가 그 기계를 사용하는 방법을 보여준다.

03 너는 그녀가 화난 이유를 아니?

04 7월은 Ted가 휴가 가는 달이다.

05 이곳이 네가 개를 잃어버린 곳이니?

06 그들은 그가 그 문제를 해결한 방법을 모른다.

---

01 선행사가 pasta이고 목적어 it을 대신하는 관계대명사 which를 써서 바꿔 쓴다.

02 선행사가 a scientist이고 주어 he를 대신하는 관계대명사 who를 써서 바꿔 쓴다.

03 선행사가 the car이고 목적어 it을 대신하는 관계대명사 which를 써서 바꿔 쓴다.

04 선행사가 Anne이고 소유격 Anne's를 대신하는 관계대명사 whose를 써서 바꿔 쓴다.

05 선행사가 a friend이고 주어 he를 대신하는 관계대명사 who를 써서 바꿔 쓴다.

06~10 '선행사+관계부사'가 되도록 배열한다. the way와 how는 함께 쓸 수 없고, the reason과 why 중 하나는 생략할 수 있다.

해석

01 그 요리사는 파스타를 만들었는데, 모든 사람이 좋아했다.

02 우리는 과학자를 만났는데, 그는 노벨상을 받았다.

03 Eric은 자동차를 팔았는데, 그는 그것을 1980년에 샀다.

04 나는 Anne에게 전화했는데, 그녀의 언니는 과학 선생님이었다.

05 Emma는 친구가 한 명 있는데, 그는 유명한 가수이다.

4일 기초 집중 연습 pp. 32~33

01 which everybody liked
02 who received the Nobel Prize
03 which he bought in 1980
04 whose sister was a science teacher
05 who is a famous singer
06 the season when it snows
07 how you did well on the test
08 the town where my grandparents live
09 why he came home late
10 how I can get to the airport

접속사 that

개념 원리 확인 p. 35

A 01 they 앞 02 the Earth 앞
03 they 앞 04 science 앞
05 climbing 앞 06 he is 앞
B 01 주어 02 보어
03 목적어 04 보어
05 주어 06 목적어

A 문장에서 that절의 역할: **01, 03** 보어 **02, 04, 05** 목적어
06 주어

B **01** 이 문장은 That Jane passed the exam is strange.
로 바꿔 쓸 수 있다.

05 이 문장은 It is not true that he often tells a lie.
로 바꿔 쓸 수 있다.

A 해석

01 사실은 그들이 경기에 졌다는 것이다.

02 그녀는 지구가 둥글다고 믿었다.

03 문제는 그들이 너무 늦게 도착했다는 것이었다.

04 나는 과학이 흥미로운 과목이라고 생각한다.

05 그들은 산행이 위험하다는 것을 깨달았다.

06 그가 그의 반에서 가장 키가 큰 것은 사실이다.

B 해석

01 Jane이 시험을 통과한 것은 이상하다.

02 문제는 그가 그 냄새를 좋아하지 않았다는 것이었다.

03 나는 내가 물건들을 고치는 것을 잘한다고 생각한다.

04 중요한 사실은 우리에게 오직 기회가 한 번뿐이라는 것이다.

05 그가 종종 거짓말을 하는 것은 사실이 아니다.

06 그녀는 그 아기가 장난감을 좋아한다고 추측했다.

It ~ that 강조 구문

개념 원리 확인   p. 37

A **01** the boy   **02** the window
    03 that

B **01** in 1564 that Shakespeare was born
    02 Mt. Everest that is the highest mountain
      in the world
    03 the school bus that he missed this morning

    04 three times a week that I exercise
    05 a nice restaurant that there was around
      the corner

B 강조할 내용은 It is/was와 that 사이에 쓰고, 나머지는 그대로 that 다음에 쓴다.

B 해석

01 셰익스피어가 태어난 것은 1564년이었다.

02 세계에서 가장 높은 산은 에베레스트산이다.

03 그가 오늘 아침에 놓친 것은 학교 버스였다.

04 내가 운동하는 것은 일주일에 세 번이다.

05 모퉁이에 있었던 것은 멋진 식당이었다.

5일   **기초 집중 연습**   pp. 38 ~ 39

01 that my sister is good at math
02 that she traveled around the world
03 that the Earth goes around the Sun
04 that he broke our promises
05 that he comes from Brazil
06 It is an ostrich that
07 It was Minju that
08 It is cooking that
09 It is on Mondays that
10 It was Chinese that

01, 05 that이 이끄는 절이 목적어 역할을 한다.

02, 04 that이 이끄는 절이 주어 역할을 한다.

03 that이 이끄는 절이 보어 역할을 한다.

06~10 강조할 내용은 It is/was와 that 사이에 쓰고, 나머지는 그대로 that 다음에 쓴다.

해석

06 키가 가장 큰 새는 타조이다.

07 빵집에서 빵을 산 사람은 민주였다.

08 내가 학생들에게 가르치는 것은 요리이다.

09 그가 배드민턴 수업을 받는 것은 매주 월요일이다.

10 그녀가 7살 때 배웠던 것은 중국어였다.

특강 | 창의·융합·코딩   pp. 42 ~ 45

A 1 made me scared   **2** call it Rocat

    3 want you to walk

B 1 when   **2** to use

    3 It is an astronaut that Jane wants to be

    4 It was in a small church that

    5 to climb   **6** why

C 1 finish   **2** who wore a blue cap

    3 easy   **4** the way

    5 to close

    6 I always keep my desk clean.

    7 whose   **8** 내가 갖고 싶은 것

    9 The story made me surprised.

    10 which

    11 in 1920 that he finished his painting

    12 The theater where we went yesterday

A 1 'make+목적어+형용사' 형태가 되도록 배열한다.

   2 'call+목적어+명사' 형태가 되도록 배열한다.

   3 'want+목적어+to부정사' 형태가 되도록 배열한다.

B 1 the day로 보아 관계부사 when이 알맞다.

   2, 5 allow와 tell은 목적격 보어로 to부정사를 갖는다.

   3, 4 강조할 내용은 It is/was와 that 사이에 쓰고, 나머지는 그대로 that 다음에 쓴다.

   6 the reason으로 보아 관계부사 why가 알맞다.

C 1 사역동사 have는 목적격 보어로 동사원형을 쓰므로 finish가 알맞다.

   2 a girl이 선행사가 되도록 주격 관계대명사 who를 사용하여 한 문장으로 쓴다.

   3 find는 목적격 보어로 형용사를 쓰므로 easy가 알맞다.

   4 내용상 방법을 나타내는 the way가 알맞다.

   5 ask는 목적격 보어로 to부정사를 쓰므로 to close가 알맞다.

   6 'keep+목적어+형용사' 형태에 유의하여 배열한다.

   7 뒤에 명사가 쓰였으므로 소유격 관계대명사 whose가 알맞다.

   8 What은 선행사를 포함하는 관계대명사로 '~하는 것'이라는 뜻이다.

   9 'make+목적어+형용사' 형태에 유의하여 배열한다.

   10 목적격 관계대명사 which가 알맞다.

   11 강조할 내용은 It was와 that 사이에 쓰고, 나머지는 그대로 that 다음에 쓴다.

   12 선행사는 The theater이고 where는 관계부사이다.

B 해석

1 1월 4일은 우리가 처음 만난 날이다.

2 나는 그가 내 펜을 쓰는 것을 허락했다.

3 Jane은 미래에 우주 비행사가 되고 싶다.

4 그들은 작은 교회에서 결혼했다.

5 아빠는 우리에게 한 달에 한 번 산행하라고 말씀하셨다.

6 나는 그들이 늦은 이유를 안다.

C 해석

1 그는 Jane이 숙제를 끝마치게 했다.

2 나는 파란 모자를 쓴 한 소녀를 만났다.

7 그는 털이 회색인 고양이 한 마리가 있다.

8 내가 갖고 싶은 것은 좋은 배낭이다.

10 나는 아침에 꽃을 샀는데, 그것들은 향이 아주 좋았다.

11 그가 그림 그리는 것을 끝마친 것은 1920년이었다.

1주 **누구나 100점 테스트**   pp. 46 ~ 47

01 a   **02** b

03 Dad wanted me to get up early.

04 Do you know the woman whose job is a writer?

05 There are some books which [that] are written in English.

06 What she had for lunch

07 which he took in Mexico

08 Four twenty is the time when our bus leaves.

09 It is strange that Jane passed the exam.

10 It was in 1564 that Shakespeare was born.

01 b에서 '사역동사 let+목적어+동사원형' 형태가 되어야 하므로 played는 play가 되어야 한다.

02 a에서 'keep+목적어+형용사' 형태가 되어야 하므로 warmly는 warm이 되어야 한다.

03 'want+목적어+to부정사' 형태가 되어야 하므로 get은 to get이 되어야 한다.

04 선행사가 the woman으로 사람이고 소유격 관계대명사가 와야하므로 which는 whose가 되어야 한다.

05 선행사가 some books로 사물이므로 주격 관계대명사 which 또는 that이 알맞다.

06 관계대명사 what이 이끄는 절이 되도록 배열한다.

07 계속적 용법의 관계대명사 which가 이끄는 절이 되도록 배열한다.

08 선행사가 시간을 나타내는 the time이므로 관계부사 when이 알맞다.

09 that이 이끄는 절이 문장의 주어 역할을 하고 있다.

10 in 1564를 강조하는 It ~ that 강조 구문이므로 that이 알맞다.

2주

이번 주에는 무엇을 공부할까? ❷   pp. 50 ~ 51

❷-1 **01** has finished   **02** had met

03 has watched   **04** have studied

05 had eaten   **06** had broken

❷-2 **01** for me   **02** for Hojin

03 his   **04** my

05 for him   **06** their

❷-1 해석

01 그녀는 숙제를 끝마쳤다.

02 지민이는 친구를 만났다고 말했다.

03 그 노부인은 한 시간 동안 TV를 보고 있다.

04 우리는 2010년부터 영어를 공부하고 있다.

05 내가 집에 도착했을 때, 내 여동생은 점심을 먹었다.

06 그는 엄마에게 그가 접시를 깼다고 말했다.

❷-2 해석

01 내가 그 질문에 답하기는 쉽다.

02 호진이가 그 책을 찾는 것은 어려웠다.

03 우리는 그가 시험에 통과할 것을 확신한다.

04 제가 문을 닫아도 될까요?

05 그가 차를 운전하는 것은 어렵다.

06 나는 그들이 내게 소리치는 것이 마음에 들지 않는다.

1일

현재완료

개념 원리 확인   p. 53

A **01** ⓓ   **02** ⓒ   **03** ⓑ

04 ⓐ   **05** ⓑ

B 01 has gone bad

   02 have visited

   03 have not [haven't] washed

   04 Has he called

A 02 suitcase(여행 가방)를 잃어버려서 지금은 없다는 결과를 나타낸다.

   03, 05 '~한 적 있다'는 의미로 경험을 나타낸다.

B 03 현재완료의 부정문은 'have/has+not+과거분사'이다.

   04 현재완료의 의문문은 'Have/Has+주어+과거분사 ~?' 이다.

A 해석

   01 Wilson은 두 시간 동안 책을 읽고 있다.

   02 Rosa는 역에서 여행 가방을 잃어버렸다.

   03 우리는 전에 대전에 가본 적이 있다.

   04 그들은 아직 벽에 페인트칠하는 것을 끝내지 않았다.

   05 나는 그 뮤지컬을 두 번 보았다.

과거완료

개념 원리 확인 p. 55

A 01 had   02 had lived

   03 had made   04 hadn't [had not]

   05 had washed

B 01 had baked   02 had been

   03 had bought   04 had begun

   05 had sold

A 과거의 이전에 일어난 일을 나타내는 과거완료는 'had+과거분사' 형태로 쓰며 부정은 'had+not+과거분사'로 쓴다.

B 과거보다 그 이전에 일어난 일을 나타내는 과거완료는 'had+과거분사'로 나타낸다. 불규칙으로 변화하는 동사의 과거분사 형태에 유의한다.

A 해석

   01 우리가 역에 갔을 때, 기차는 이미 도착해 있었다.

---

02 그들이 여기로 이사 오기 전에 그들은 시드니에 살았다.

03 그녀는 지난주에 만들었던 꽃병을 깼다.

04 그는 전에 롤러코스터를 타본 적이 없다고 말했다.

05 나는 접시를 씻은 후에 말렸다.

1일 기초 집중 연습 pp. 56 ~ 57

01 it had snowed

02 Have you ever met

03 the cup had already broken

04 He has studied Spanish

05 I had spent all my money

06 I've left my cellphone at home.

07 She had already finished cooking

08 she had not read the book

09 We've practiced basketball since six o'clock.

10 He has never seen a rainbow before.

02 현재완료의 의문문은 'Have/Has+주어+과거분사 ~?'이다.

04 'have+과거분사' 형태의 현재완료 용법 중 계속을 나타내는 문장을 완성한다.

07 그들이 방문한 것보다 그녀가 요리를 끝낸 것이 먼저 일어난 일이므로 'had+과거분사' 형태의 과거완료로 쓴다.

10 현재완료의 경험을 나타내는 문장으로 '~해 본 적이 없다'라고 말할 때는 'have/has+never+과거분사' 형태로 쓴다.

현재진행

개념 원리 확인 p. 59

A 01 watching   02 working

   03 Are   04 is not baking

   05 wants   06 cooking

B **01** are feeding the cows

02 are not [aren't] running in the park

03 Are the girls helping

04 is making its web on the ceiling

A **03** 현재진행의 의문문은 'Be동사＋주어＋동사원형＋-ing ～?'로 쓴다.

04 현재진행의 부정문은 'be동사＋not＋동사원형＋-ing'로 쓴다.

05 want(원하다)는 상태를 나타내는 동사이므로 현재진행으로 쓸 수 없다.

B 문장의 일반동사를 'be동사＋동사원형＋-ing' 형태로 바꿔서 현재진행 문장을 만든다.

A 해석

01 Melissa는 지금 TV를 보고 있다.

02 그들은 미술관에서 일하고 있다.

03 Kevin과 Jason은 농구를 하고 있니?

04 Meg는 사과 파이를 굽고 있지 않다.

05 선생님은 진실을 알고 싶다.

06 그 여자가 부엌에서 요리하고 있는 것이 무엇이니?

B 해석

01 Ben과 나는 소에게 먹이를 준다.

02 남자들은 공원에서 뛰지 않는다.

03 소녀들이 노인을 돕니?

04 거미는 천장에 거미줄을 만든다.

현재완료진행

개념 원리 확인   p. 61

A **01** have been hiking

02 been studying   **03** Has it been

04 writing   **05** been playing

06 hasn't been

B **01** has been snowing

02 have been making dinner

03 has been learning Spanish

04 have been wearing glasses

A **03** 현재완료진행의 의문문은 'Have/Has＋주어＋been＋동사원형＋-ing ～?'로 쓴다.

06 현재완료진행의 부정문은 'have/has＋not＋been＋동사원형＋-ing' 형태로 쓴다.

B '주어＋have/has＋been＋동사원형＋-ing ～.' 형태의 문장을 완성한다.

A 해석

01 우리는 5년째 하이킹을 하고 있다.

02 Sam은 한 시간째 공부하고 있다.

03 오늘 아침부터 비가 내리고 있니?

04 작가는 그 소설을 작년부터 써오고 있다.

05 그들은 세 시간째 바이올린을 연주하고 있다.

06 Joe는 밤 열 시부터 자고 있지 않다.

2일 **기초 집중 연습**   pp. 62～63

01 are washing their hands

02 has been cleaning the house

03 Is the man talking

04 have been using a new computer

05 has been staying

06 Is your uncle moving the table?

07 Dad has been cooking dinner since 5 o'clock.

08 The babies are not taking a nap now.

09 The planes are landing at the airport.

10 Has he been playing the guitar for an hour?

02, 04 현재완료진행은 'have/has＋been＋동사원형＋-ing' 형태로 쓴다.

03, 06 현재진행의 의문문은 'Be동사+주어+동사원형+-ing ~?' 어순으로 쓴다.

08 현재진행의 부정은 'be동사+not+동사원형+-ing'이다.

10 현재완료진행의 의문문은 'Have/Has+주어+been+동사원형+-ing ~?'로 쓴다.

to부정사

개념 원리 확인   p. 65

A	01 형용사	02 부사	
	03 부사	04 형용사	
	05 명사	06 부사	
B	01 make	02 To win	
	03 to wait	04 not to eat	
	05 to think	06 to go	

A 02 to understand가 '이해하기에'라는 의미로 형용사인 hard(어려운)를 꾸미는 부사 역할을 한다.

06 to find가 '찾아서'라는 의미로 감정의 원인을 나타내는 부사 역할을 한다.

B 01, 04 to부정사가 목적어로 쓰여 명사 역할을 한다. to부정사의 부정은 to부정사 앞에 not을 쓴다.

05 to think는 앞에 있는 명사 some time(시간)을 수식하는 형용사 역할을 한다.

A 해석

01 학교에 갈 시간이다.

02 그의 새 소설은 이해하기 어렵다.

03 그들은 시험에 통과하기 위해서 연습했다.

04 우리는 물을 줄 식물이 많다.

05 나는 유명한 화가들을 보길 희망한다.

06 내 친구는 개를 찾아서 기뻤다.

B 해석

01 나는 똑같은 실수를 하지 않기를 바란다.

02 경기를 이기는 것은 내게 중요하다.

03 나는 그들을 기다리기 위해 여기에 서 있다.

04 그의 계획은 패스트푸드를 먹지 않는 것이다.

05 내게 생각할 시간을 좀 주겠니?

06 Jimmy는 학교에 돌아가게 되어 신났다.

to부정사의 의미상 주어

개념 원리 확인   p. 67

A	01 for the kid	02 of you	
	03 of him	04 for children	
	05 for Mr. Hong	06 for me	
B	01 of	02 for	
	03 for	04 for	
	05 for	06 of	

A 02, 03 careless(부주의한)와 nice(친절한)는 사람의 성격이나 태도를 나타내므로 to부정사의 의미상 주어는 'of+목적격'으로 쓴다.

B 01, 06 rude(무례한)와 wise(현명한)는 사람의 성격이나 태도를 나타내므로 to부정사의 의미상 주어는 'of+목적격'으로 쓴다.

A 해석

01 아이가 개를 목욕시키는 것은 어렵다.

02 네가 문을 열어두다니 부주의하다.

03 그가 노부인을 도와주다니 친절하다.

04 어린이들이 강에서 수영하는 것은 위험하다.

05 홍 선생님은 결정을 내리는 것이 어렵다.

06 내가 그 기계를 고치는 것은 불가능하다.

B 해석

01 네가 그렇게 말하다니 무례했다.

02 그들이 답을 찾는 것은 불가능하다.

03 그 소년이 영어로 쓰는 것은 쉽다.

04 우리가 여섯 시에 일어나는 것은 중요하다.

05 서진이가 그 문제를 푸는 것은 어렵다.

06 그녀가 경찰을 부른 것은 현명했다.

3일 기초 집중 **연습**　　　　　　　pp. 68~69

01 a good place to see
02 not to lose
03 to travel to Europe
04 of you to visit
05 for them to arrive
06 It is hard for me to exercise every day.
07 He washed his face to wake up.
08 Ben wants to go to the dentist with me.
09 I have something cold to drink.
10 It's stupid of him to forget the password.

02, 07 to부정사가 '~위해서'라는 목적을 나타내는 부사 역할로 쓰였다.

04, 10 It is/was 다음에 사람의 성격이나 태도를 나타내는 형용사가 오면 to부정사의 의미상 주어는 'of+목적격' 형태로 쓴다.

05, 06 to부정사의 의미상의 주어는 to부정사 앞에 'for+목적격' 형태로 쓴다.

09 to부정사가 앞에 있는 명사를 수식하는 형용사 역할을 한다.

동명사와 동명사의 의미상 주어

개념 원리 **확인**　　　　　　　　　　p. 71

A 01 목적어　　02 주어　　　03 목적어
　 04 보어　　　05 목적어　　06 목적어

B 01 her solving the puzzle
　 02 finished doing your homework
　 03 his winning the first prize
　 04 is sleeping well at night

A 01 동명사가 전치사의 목적어 역할을 한다.

　 05 give up(포기하다)은 동명사를 목적어로 쓴다.

B 01, 03 동명사 앞에 소유격 her와 his는 동명사의 의미상 주어이다.

A 해석

01 Martin은 내가 문을 열어준 것에 감사했다.

02 사람들이 있는 데서 말하는 것은 쉽지 않다.

03 Joseph은 벤치에 앉는 것을 꺼리지 않는다.

04 Helen의 일은 동물을 돌보는 것이었다.

05 새로운 것을 배우는 것을 포기하지 마라.

06 그녀는 아침에 책 읽는 것을 아주 좋아한다.

동명사의 여러 가지 표현

개념 원리 **확인**　　　　　　　　　　p. 73

A 01 studying　　　　02 buying
　 03 preparing　　　04 fishing
　 05 seeing　　　　 06 laughing
B 01 busy doing　　　02 felt like eating
　 03 cannot help buying
　 04 spends, listening

A 02 'spend+돈+-ing'는 '~하는 데 돈을 쓰다'라는 뜻이다.

　 05 'look forward to -ing'는 '~하기를 기대하다'라는 뜻이다.

B 02 '~하고 싶다'라는 의미의 동명사 표현은 'feel like -ing'이다.

　 03 '하지 않을 수 없다'는 의미의 동명사 표현은 'cannot help -ing'이다.

정답과 해설

A 해석

01 나는 오늘 밤에 공부하고 싶지 않다.

02 그 아이는 돈을 간식을 사는 데 썼다.

03 학생들은 축제를 준비하느라 바쁘다.

04 한 선생님은 주말마다 낚시하러 가신다.

05 그는 너를 곧 보기를 기대한다.

06 우리는 그의 농담에 웃지 않을 수 없다.

4일 기초 집중 연습   pp. 74 ~ 75

01 Swimming is good for your health.
02 Helen enjoys living in Busan.
03 We don't like his saying bad words.
04 I look forward to going camping with my family.
05 He spent his life helping others.
06 He cannot help eating chocolate.
07 She was busy preparing for the party.
08 Do you mind my turning off the light?
09 I'm sure of her passing the exam.
10 Luke gave up playing the piano a year ago.

01 동명사가 주어일 때 3인칭 단수 취급하므로 동사는 3인칭 단수 현재형 is가 알맞다.

02 enjoy(즐기다)는 동명사를 목적어로 쓰는 동사이다.

03 동명사의 의미상 주어는 소유격 형태로 동명사 앞에 쓰므로, his가 알맞다.

04 look forward to -ing: ~하기를 기대하다

05 spend+시간/돈+-ing: ~하는 데 시간/돈을 쓰다

07 '~하느라 바쁘다'라는 의미의 동명사 표현은 'be busy -ing'이다.

08, 10 emind(신경 쓰다), give up(포기하다)은 동명사를 목적어로 쓴다.

09 her는 동명사의 의미상 주어이므로 '의미상 주어+동명사'의 어순에 유의하여 배열한다.

A 해석

01 수영하는 것은 네 건강에 좋다.

02 Helen은 부산에 사는 것을 즐긴다.

03 우리는 그가 나쁜 말을 하는 것을 좋아하지 않는다.

04 나는 가족과 캠핑 가기를 기대한다.

05 그는 자기 삶을 남을 돕는 데 썼다.

5일

현재분사와 과거분사

개념 원리 확인   p. 77

A 01 깨진 유리   02 떠오르는 태양
   03 그리고 있다   04 구운 감자들
   05 중고 책들   06 말해지다

B 01 closed   02 wearing
   03 written   04 boiled
   05 playing   06 boring

A 01 broken은 '깨진'이라는 수동의 의미로 명사 glass(유리)를 수식하는 과거분사이다.

03 drawing은 현재진행 시제에 쓰인 현재분사이다.

05 used는 '사용된'이라는 수동의 의미로 명사 books(책들)을 수식하는 과거분사이다.

B 02 갈색 바지를 입고 있는 것이므로 현재분사 wearing이 알맞다.

03 프랑스어로 쓰인 것이므로 과거분사 written이 알맞다.

06 영화가 지루한 것이므로 현재분사 boring이 알맞다.

A 해석

01 깨진 유리를 만지지 마라.

02 우리는 해변에서 일출을 보았다.

03 나는 그림을 그리고 있다.

04 그녀는 점심으로 구운 감자를 먹었다.

05 Eric은 중고 책을 다섯 권 샀다.

06 영어는 오스트레일리아에서 말해진다.

B 해석

01 그는 닫힌 문을 열 것이다.

02 그녀는 갈색 바지를 입고 있다.

03 Meg는 프랑스로 쓰인 책을 읽을 수 있다.

04 호진이는 아침마다 삶은 달걀을 먹는다.

05 나는 축구를 하고 있는 소년을 안다.

06 이 지루한 영화는 그들을 졸리게 만들었다.

분사구문

개념 원리 확인   p. 79

A **01** Seeing   **02** Getting
   03 Walking   **04** Arriving
   05 Not having
B **01** Waving   **02** Feeling
   03 Sleeping   **04** Not knowing

A **05** 분사구문의 부정은 현재분사 앞에 not을 쓴다.

B 분사구문은 부사절에서 접속사와 주어를 없애고 동사를 현재분사로 바꿔서 만든다.

B 해석

01 친구들에게 손을 흔들며 그들은 집을 떠났다.

02 배가 고파서 우리는 빵을 좀 먹었다.

03 버스에서 잠들어서 그녀는 정류장을 놓쳤다.

04 그의 이름을 몰라서 나는 너에게 그를 소개할 수 없었다.

5일 **기초 집중 연습**   pp. 80~81

01 James brought some fried chicken.
02 The cat sleeping on the sofa is very cute.
03 They are waiting for their teacher.

04 The art room is cleaned by Nate and Mike.
05 We were surprised at the shocking news.
06 Having a headache
07 Listening to my favorite music
08 Feeling hot
09 Reading comic books
10 Not knowing the answer

01 '튀겨진 치킨'이라는 의미이므로, 과거분사 fried가 알맞다.

02 '소파에서 자고 있는 고양이'라는 의미이므로, 현재분사 sleeping이 알맞다.

03 현재진행 시제가 되어야 하므로 현재분사 waiting이 알맞다.

04 수동태가 되어야 하므로 과거분사 cleaned가 알맞다.

05 '충격적인 소식'이라는 의미이므로, 현재분사 shocking이 알맞다.

06, 08, 10 이유를 나타내는 분사구문을 완성한다.

07 시간을 나타내는 분사구문을 완성한다.

09 동시 동작을 나타내는 분사구문을 완성한다.

10 분사구문의 부정은 분사 앞에 not을 쓴다.

해석

01 James는 프라이드치킨을 가져왔다.

02 소파 위에서 자고 있는 고양이는 매우 귀엽다.

03 그들은 선생님을 기다리고 있다.

04 미술실은 Nate와 Mike에 의해서 청소된다.

05 우리는 충격적인 소식에 놀랐다.

특강 창의·융합·코딩   pp. 84~87

A **1** help   **2** listening
   3 been   **4** (가로) finishing, (세로) for
   5 to

B 1 Have they been to Jejudo?
2 Brian had not cleaned his room when I called him.
3 Hearing the news
4 Being hungry
5 I have not [haven't] been studying Chinese since last month.

C 1 Have   2 had bought
3 been swimming 4 is working
5 풀어서 기뻤다 6 me
7 of   8 building
9 Being   10 written
11 helping 12 Not being tired

A 2 동시 동작을 나타내는 분사구문이므로 현재분사 listening이 알맞다.

3 현재완료진행은 '주어＋have/has＋been＋동사원형＋-ing ～.' 형태로 쓴다

4 (가로) give up(포기하다)은 동명사를 목적어로 쓴다.
(세로) to부정사의 의미상 주어는 'for＋목적격'으로 쓴다.

5 to부정사는 앞에 있는 명사를 수식하는 형용사 역할을 한다.

B 1 현재완료의 의문문은 'Have/Has＋주어＋과거분사 ～?'이다.

2, 5 완료 시제의 부정은 'have/has/had＋not＋과거분사'로 쓴다.

3, 4 분사구문은 부사절에서 접속사와 주어를 없애고 동사를 현재분사로 바꿔서 만든다.

C 1 현재완료의 의문문은 'Have/Has＋주어＋과거분사 ～?' 형태로 쓴다.

2 과거의 어느 시점보다 앞서 일어난 일을 나타내는 과거완료 시제는 'had＋과거분사' 형태로 쓰며, buy의 과거분사형은 bought이다.

3 현재완료진행은 'have/has＋been＋동사원형＋-ing' 형태로 쓴다.

4 현재진행은 'be동사＋동사원형＋-ing' 형태로 쓴다.

5 to부정사가 '～해서'라는 감정의 원인을 나타낸다.

6 to부정사의 의미상의 주어는 'for＋목적격'으로 쓴다.

7 It is/was 다음에 사람의 성격이나 태도를 나타내는 형용사가 오면 to부정사의 의미상 주어는 'of＋목적격'으로 쓴다.

8 be busy -ing: ～하느라 바쁘다

9 이유를 나타내는 분사구문이므로 현재분사가 알맞다.

10 수동의 의미로 쓰였으므로 과거분사 written이 알맞다.

11 '돕는 것'이라는 의미로 보어와 목적어 역할을 하는 동명사가 알맞다. enjoy는 동명사를 목적어로 쓰는 동사이다.

12 분사구문의 부정은 현재분사 앞에 not을 쓴다.

B 해석
1 그들은 제주도에 가본 적이 있다.
2 Brian은 내가 전화했을 때 그의 방을 청소해 놓았다.
3 내가 그 소식을 들었을 때 행복했다.
4 배가 고팠기 때문에 그녀는 도넛을 먹었다.
5 나는 지난달부터 중국어를 공부하고 있다.

C 해석
1 너는 멕시코에 가본 적이 있니? – 응, 있어.
2 그는 지난 일요일에 자전거를 샀다고 말했다.
4 Christina는 쇼핑몰에서 일하고 있다.
6 내가 그 가방을 들기는 쉽지 않다.
7 그렇게 말하다니 너는 현명하다.
8 새들은 둥지를 짓느라 바쁘다.
9 아파서 나는 약을 먹었다.
10 이탈리아어로 쓰인 책들이 있다.
11 ・내 일은 학습자들을 돕는 것이다.
 ・나는 남을 돕는 것을 즐긴다.

2주 누구나 100점 테스트
pp. 88~89

01 a 　　　　　　　02 b

03 Are Kevin and Jason playing basketball?

04 The writer had been writing the novel since last year.

05 My friend was happy to find his dog.

06 for children to swim in the river

07 his using my computer

08 We cannot help laughing at his jokes.

09 Eric bought five used books.

10 Walking my dog, I met Jina.

01 b에서 현재완료의 부정문은 'have/has+not+과거분사'이므로 don't have washed는 have not[haven't] washed가 되어야 한다.

02 a에서 선생님이 우리에게 말한 시점 보다 전에 아프리카에 다녀온 것이므로, went는 과거완료 had been이 되어야 한다.

03 현재진행형의 의문문은 'be동사의 현재형+주어+동사원형+-ing ~?'인데, 주어가 Kevin and Jason으로 복수이므로 Is는 Are가 되어야 한다.

04 현재완료진행은 'have/has+been+동사원형+-ing' 형태이므로 written은 writing이 되어야 한다.

05 '그의 개를 찾아서 기쁜'이라는 감정의 원인을 나타내는 to부정사가 되어야 하므로, find은 to find가 되어야 한다.

06 to부정사의 의미상 주어 for children은 to부정사인 to swim 앞에 쓴다.

07 동명사의 의미상 주어 his는 동명사인 using 앞에 쓴다.

08 cannot help -ing: ~하지 않을 수 없다

09 의미상 사용된 책, 즉 중고책을 샀다는 의미이므로, 수동의 의미를 나타내는 과거분사 used가 알맞다.

10 시간을 나타내는 분사구문이 되어야 하므로, Walking이 알맞다.

3주

이번 주에는 무엇을 공부할까? ❷
pp. 92~93

❷-1　01 수동태 문장　　02 수동태 문장
　　　03 능동태 문장　　04 수동태 문장
　　　05 능동태 문장　　06 능동태 문장

❷-2　01 ×　　　　　　02 ○
　　　03 ○　　　　　　04 ×
　　　05 ○　　　　　　06 ×

❷-1 해석

01 이 집은 그 남자에 의해 지어졌다.

02 그녀의 가방은 Miller 씨에 의해 만들어졌다.

03 그 감독은 영화를 만들었다.

04 그 물고기는 Max에 의해 잡혔다.

05 나의 할아버지는 꽃들을 심으셨다.

06 우리는 함께 퍼즐을 풀었다.

❷-2 해석

01 당신은 제게 이탈리아어를 가르쳐주시겠어요?

02 호준이는 민호에게 영화표를 주었다.

03 White 씨는 우리에게 영어를 가르쳤다.

04 나는 초콜릿을 먹고 싶다.

05 나의 할머니는 내게 책을 한 권 사주셨다.

06 많은 꽃이 있다.

수동태

개념 원리 확인
p. 95

A 01 was painted 　　02 Was

03 is loved   **04** was not

05 was the music

B **01** was caught

02 Was the dog washed

03 are delivered

04 will be ordered

05 were not[weren't] fixed

A **02, 05** 수동태의 의문문은 의문사가 없는 경우 'Be동사+주어+과거분사 ~?', 의문사가 있는 경우 '의문사+be동사+주어+과거분사 ~?'로 나타낸다.

04 수동태의 부정문은 'be동사+not+과거분사'의 어순으로 쓴다.

B **03** 수동태 문장에서 행위자가 일반적인 사람이거나 알려지지 않은 경우에는 생략할 수 있다.

04 미래시제의 수동태는 'will be+과거분사'의 형태로 쓴다.

A 해석

01 지붕은 Paul에 의해 칠해졌다.

02 그 문제는 Mark에 의해 풀렸니?

03 축구는 영국에서 사랑받는다.

04 이 집은 Jones 씨에 의해 지어지지 않았다.

05 언제 Lauren에 의해 음악이 연주되었니?

조동사+수동태

개념 원리 확인   p. 97

A **01** be used   **02** be

     03 be packed   **04** not be

     05 not be touched

B **01** will not be held

     02 may be washed

     03 can be canceled

     04 should be put

     05 must not be used

A **01~03** 조동사가 있는 수동태는 '조동사+be+과거분사'의 형태로 쓴다.

04, 05 조동사가 있는 수동태의 부정은 '조동사+not+be+과거분사' 어순으로 쓴다.

B **04** '~해야 한다'는 뜻의 조동사는 should이며 동사 put(넣다)의 과거분사는 put이다.

A 해석

01 그 컴퓨터는 모든 학생에 의해 사용될 수 있다.

02 그 음식은 서늘한 곳에 보관되어야 한다.

03 더 무거운 물건은 아래쪽에 꾸려져야 한다.

04 그 빌딩은 Joe에 의해 설계되지 않을 것이다.

05 그 조각품은 방문객들에 의해서 건드려져서는 안 된다.

1일 기초 집중 연습   pp. 98~99

01 are not fed by Katie

02 was delivered by the mailman

03 Was this picture drawn

04 must be worn by workers

05 cannot be understood by students

06 How was the machine invented by her?

07 This movie shouldn't be watched by children.

08 The e-mail will be written by Henry.

09 The dinner is cooked by a top chef.

10 The design can be chosen by the user.

01 수동태의 부정문은 'be동사+not+과거분사'의 어순으로 쓴다.

03 의문사가 없는 수동태 의문문은 'Be동사+주어+과거분사 ~?' 형태로 쓴다.

04 조동사가 있는 수동태는 '조동사+be+과거분사'의 형태로 쓴다.

06 의문사가 있는 수동태 의문문은 '의문사+be동사+주어+과거분사 ~?' 형태로 쓴다.

07, 10 조동사의 수동태의 부정은 '조동사+be+과거분사'의 형태로 쓴다.

해석

01 Katie는 개들에게 먹이를 주지 않는다.

02 우체부는 이 소포를 배달했다.

03 Picasso가 이 그림을 그렸니?

04 근로자들은 헬멧을 착용해야 한다.

05 학생들은 그녀의 연설을 이해하지 못한다.

2일

4형식의 문장의 수동태

개념 원리 확인   p. 101

A 01 간접   02 전치사
    03 to   04 for
B 01 없음   02 for
    03 to   04 of
    05 for   06 없음

B **01** 간접목적어를 주어로 쓰는 4형식 문장의 수동태에서 직접목적어 앞에 전치사를 쓰지 않는다.

02, 05 직접목적어를 주어로 쓰는 4형식 문장의 수동태에서 동사가 buy, make일 때는 간접목적어 앞에 전치사 for를 쓴다.

B 해석

01 그들은 Julie에 의해 그 이야기를 들었다.

02 그 책들은 나를 위해 부모님에 의해 구매되었다.

03 카드는 Molly의 선생님에 의해 그녀에게 보내졌다.

04 첫 번째 문제는 그녀에 의해 우리에게 질문되었다.

05 그 규칙은 학생들을 위해 만들어졌다.

06 우리는 새로운 정보를 받았다.

주의해야 할 수동태

개념 원리 확인   p. 103

A 01 with   02 off by Jason
    03 with   04 of by
    05 with   06 to by
B 01 in   02 at
    03 with   04 for

A **02, 04, 06** 동사구 전체를 하나의 동사처럼 취급하여 수동태로 만들고 뒤에 'by 행위자'를 쓴다.

B 수동태의 행위자를 나타낼 때 by 이외에 다른 전치사를 쓰기도 한다.

A 해석

01 그 상자는 새 소설들로 가득 차 있었다.

02 그 TV는 Jason에 의해 꺼졌다.

03 그녀는 자신의 수학 성적에 만족한다.

04 그 아기는 그녀의 할머니에 의해 돌봐졌다.

05 그 들판은 풀과 꽃으로 뒤덮여 있었다.

06 그 회의는 구성원들에 의해서 기대를 받았다.

2일 **기초 집중 연습**   pp. 104 ~ 105

01 were taught French
02 was written to his classmates
03 was sent the birthday gift
04 was bought for his daughter
05 were asked of Robert
06 His eyes were filled with tears.
07 The event is looked forward to by the kids.
08 The player was given a prize by the team.
09 The plants are looked after by the gardener.
10 The paintings were shown to me by Bella.

01, 03 4형식 문장의 수동태에서 간접목적어가 주어일 때 직접목적어 앞에 전치사를 쓰지 않는다.

06 be filled with(~로 가득 차다)는 by 이외의 전치사를 쓰는 숙어이다.

07 look forward to(~을 기대하다)는 하나의 동사처럼 취급한다.

09 look after(~을 돌보다)는 하나의 동사처럼 취급한다.

10 show는 간접목적어 앞에 전치사 to를 쓰는 동사이다.

해석

01 Potter 씨는 우리에게 프랑스어를 가르쳤다.

02 Kevin은 그의 반 친구들에게 초대장을 썼다.

03 나의 삼촌은 내게 생일 선물을 보냈다.

04 James는 이 재킷을 그의 딸에게 사줬다.

05 면접관은 Robert에게 몇 가지 질문을 했다.

가정법 과거

개념 원리 확인   p. 107

A **01** could   **02** were
   03 lived   **04** weren't
   05 would   **06** were
B **01** were [was]   **02** would
   03 helped   **04** could

A **01, 05** 가정법 과거에서 주절의 조동사는 과거형으로 쓴다.

   02, 04, 06 if절의 동사가 be동사일 때 인칭과 수에 관계없이 were를 쓰며, 구어체에서는 was를 쓰기도 한다. 부정은 were not[weren't]으로 쓴다.

B **02, 04** 가정법 과거 문장에서 주절의 조동사는 과거형으로 쓴다.

03 가정법 과거 문장에서 if절의 동사는 과거형으로 쓰므로 helped가 알맞다.

A 해석

01 만약 내가 그의 주소를 안다면, 나는 그에게 선물을 보낼 텐데.

02 만약 슈퍼히어로로 있다면, 세상이 평화로울 텐데.

03 만약 우리가 강가에 산다면, 우리는 매일 낚시하러 갈 텐데.

04 만약 그녀가 바쁘지 않다면, 그녀가 개를 산책시킬 텐데.

05 만약 그가 조종사라면, 그는 어디든 날아갈 텐데.

06 만약 화창하다면, 우리는 소풍을 갈 텐데.

가정법 과거완료

개념 원리 확인   p. 109

A **01** known
   02 had not [hadn't] helped
   03 wouldn't [would not]
   04 cried   **05** have been
   06 had not [hadn't] eaten
B **01** hadn't   **02** had
   03 have stayed   **04** have caught

A **02, 06** 가정법 과거완료 문장의 If절이 부정문인 경우 'If+주어+had+not+과거분사 ~,' 형태로 나타낸다.

   04, 05 가정법 과거완료 문장의 주절은 '주어+조동사의 과거형+have+과거분사 ~' 형태로 나타낸다.

B 가정법 과거완료는 '만약 ~했다면 …했을 텐데.'라는 의미로 'If+주어+had+과거분사 ~, 주어+조동사의 과거형+have+과거분사 …' 형태로 쓴다.

A 해석

01 만약 그가 그녀의 이름을 알았다면, 그녀를 불렀을 텐데.

02 만약 내가 그녀를 돕지 않았다면, 그녀는 그것을 끝내지 못했을 텐데.

03 만약 내가 자전거를 타지 않았다면, 나는 넘어지지 않았을 텐데.

04 만약 Kevin이 길을 잃지 않았다면, 그는 울지 않았을 텐데.

05 만약 우리가 방을 청소했었다면, 지저분하지 않았을 텐데.

06 만약 내가 점심을 먹지 않았다면, 나는 배가 고팠을 텐데.

3일 기초 집중 **연습** pp. 110 ~ 111

01 I would know the answer
02 If she were [was] rich
03 we would visit his house
04 I would have become wiser
05 If I had met him
06 If I had more time
07 he would take good care of it
08 I wouldn't be late for school
09 If it hadn't rained today
10 she wouldn't have worried about me

01, 03 가정법 과거에서 주절의 조동사는 과거형으로 쓴다.

02 if절의 동사가 be동사일 때 인칭과 수에 관계없이 were를 쓰며, 구어체에서는 was를 쓰기도 한다.

04, 05 가정법 과거완료는 'If + 주어 + had + 과거분사 ~, 주어 + 조동사의 과거형 + have + 과거분사 ....' 형태로 쓴다.

06, 07, 08 가정법 과거는 'If + 주어 + 동사의 과거형 ~, 주어 + 조동사의 과거형 + 동사원형 ....'의 형태로 쓴다.

09, 10 가정법 과거완료는 'If + 주어 + had + 과거분사 ~, 주어 + 조동사의 과거형 + have + 과거분사 ....' 형태로 쓴다.

used to, would, had better

개념 **원리 확인** p. 113

A **01** used to **02** not eat
　　03 ride **04** read
　　05 change **06** would

B **01** used to be
　　02 would sit out
　　03 didn't use to eat
　　04 had better ask

A **01, 03** '~하곤 했다, ~이었다'라는 의미의 조동사는 used to이며 뒤에 동사원형을 쓴다.

　　02 had better(~하는 것이 좋다)의 부정은 had better not으로 쓴다.

B **03** used to(~하곤 했다, ~이었다)의 부정은 didn't use to 혹은 used not to로 쓴다.

　　04 '~하는 것이 좋다'라는 의미로 충고할 때 had better를 쓴다.

A 해석

01 Jessica는 이 인형들을 가지고 놀곤 했다.

02 그는 밤에 간식을 먹지 않는 게 좋다.

03 나는 어릴 적에 롤러코스터를 타곤 했다.

04 엄마와 아빠는 내게 이야기책을 읽어주시곤 했다.

05 너는 네 마음을 바꾸는 게 좋다.

06 그는 10살 때 매일 학교에 걸어가곤 했다.

조동사 + have + 과거분사

개념 **원리 확인** p. 115

A **01** 설거지를 했어야 한다
　　02 꽃병을 깼을 리가 없다
　　03 길을 잃었을지도 모른다
　　04 눈이 왔음이 틀림없다
　　05 농구를 하지 말았어야 한다

B **01** must **02** should
　　03 might **04** cannot

A **03** 'may / might + have + 과거분사'는 '~했을지도 모른다'는 약한 추측으로 해석한다.

05 조동사 should 뒤에 not이 붙은 부정문이므로 '~하지 말 았어야 한다'로 해석한다.

B 01 '~했음이 틀림없다'라는 의미의 강한 추측은 'must＋ have＋과거분사'로 나타낸다.

A 해석

01 그는 설거지를 했어야 한다.

02 그 아이가 꽃병을 깼을 리가 없다.

03 그들은 나 없이 길을 잃었을지도 모른다.

04 지난밤에 눈이 왔음이 틀림없다.

05 나는 비를 맞으며 농구를 하지 말았어야 한다.

4일 기초 집중 연습   pp. 116 ~ 117

01 His family used to live

02 You had better eat

03 I would read books

04 She must have seen

05 He should have told

06 We had better not swim

07 used to be a hospital here

08 He may not have read

09 should have gone to the dentist

10 cannot have told me a lie

01 조동사 used to는 '~하곤 했다, ~이었다'라는 의미로 뒤에 동 사원형이 온다.

02 had better는 '~하는 게 좋다'는 의미로 뒤에 동사원형이 온다.

06 had better는 '~하는 게 좋다'는 의미로 부정은 had better not으로 쓴다.

08 'may have＋과거분사'는 '~했을지도 모른다'는 약한 추측을 의미하며 부정은 'may not have＋과거분사'로 쓴다

5일

수 일치

개념 원리 확인   p. 119

A 01 has   **02** are

    03 feel   **04** is

    05 were   **06** is

B 01 was   **02** is

    03 live   **04** need

    05 take

A 02, 04 분수 표현 다음에 단수 명사가 오면 단수 취급, 복수 명 사가 오면 복수 취급한다.

03 형용사 old 앞에 the가 붙으면 '노인들'이라는 복수 명사가 된다.

B 02, 05 'the number of＋복수 명사'는 단수 취급, 'a number of＋복수 명사'는 복수 취급한다.

03 분수나 부분 표현 다음에 복수 명사가 오면 복수 취급 한다.

A 해석

01 팀의 각 구성원은 특별한 기술을 가지고 있다.

02 사과의 4분의 1이 초록색이다.

03 나이 든 사람들은 운동을 한 후에 행복을 느낀다.

04 땅의 5분의 2가 식물과 나무로 덮여 있다.

05 많은 달걀들이 깨졌다.

06 약간의 우유가 유리잔에 부어진다.

시제 일치

개념 원리 확인   p. 121

A 01 모든   **02** 과거완료

    03 현재   **04** 과거

B 01 would   **02** had

    03 had   **04** broke

05 is   06 was
07 sleep

B 04, 06 주절의 시제와 상관없이 종속절이 역사적 사실을 말할 때는 과거시제를 쓴다.

B 해석

01 Sue는 내게 그녀가 시드니로 이사한다고 말했다.

02 그는 모로코에 간 적이 있다고 말했다.

03 나는 누군가가 내 가방을 가져간 것을 알았다.

04 우리는 한국전쟁이 1950년에 발발했다는 것을 안다.

05 그들은 빛이 소리보다 더 빠르다는 것을 배웠다.

06 나는 '톰 소여의 모험'이 마크 트웨인에 의해 쓰여졌다는 것을 알았다.

07 Amy는 고슴도치가 겨울잠을 잔다는 것을 알았다.

5일 | 기초 집중 연습   pp. 122 ~ 123

01 Half of the students want to go swimming.
02 Two-thirds of the people were Korean.
03 Two people are enough to wash the dishes.
04 I knew that he had bought a new book.
05 She said that she watches TV every day.
06 Each student has a special talent.
07 Two-fifths of the garden is covered with roses.
08 He learned that water boils at 100℃.
09 We know that Newton discovered gravity.
10 They said that they had lived in Busan.

01 학생들의 절반은 half of the students인데 '부분 표현+복수 명사'는 복수 취급하므로 동사는 want로 쓴다.

05 종속절이 현재의 습관일 경우 주절의 시제와 관계없이 현재 시제를 쓴다.

08 불변의 진리는 항상 현재형을 쓴다.

09 역사적 사실은 주절에 관계없이 항상 과거형을 쓴다.

특강 | 창의·융합·코딩   pp. 126 ~ 129

A 1 must be kept
   2 had better not tell
   3 If I were you

B 1 is   2 (세로) were, (가로) Was
   3 better   4 to
   5 ride   6 in

C 1 will be sold
   2 The students were satisfied with the results.
   3 for
   4 The TV was turned off by Joe.
   5 만약 우리가 피곤하지 않다면, 영화를 보러 갈 텐데.
   6 had closed   7 would
   8 준수는 열심히 연습했음이 틀림없다.
   9 have done
   10 Each room was cleaned by Sam.
   11 are   12 rises

A 2 had better는 '~하는 게 좋다'라는 의미로, 부정은 had better not이다.

B 4 4형식 문장의 직접목적어가 수동태 문장의 주어가 된 경우이다. show는 간접목적어 앞에 to를 쓰는 동사이다.

   5 종속절이 현재의 습관을 말할 때는 주절의 시제에 상관없이 동사는 현재시제로 쓰므로 ride가 알맞다.

C 2 be satisfied with: ~에 만족하다

   3 직접목적어를 주어로 쓰는 4형식 문장의 수동태에서 동사 make는 목적어 앞에 전치사 for를 쓰는 동사이다.

   5 가정법 과거는 '만약 ~라면, …할 텐데'로 해석한다.

   6 가정법 과거완료 문장의 형태는 'If+주어+had+과거분사 ~, 주어+조동사의 과거형+have+과거분사 ....'이다.

   7 과거의 습관을 나타내므로 would가 알맞다.

   8 'must+have+과거분사'는 '~했음이 틀림없다'는 강한 추측을 의미한다.

   9 'cannot+have+과거분사'는 '~이었을 리가 없다'는 강한 부정의 추측을 의미한다.

10 'each+단수 명사'는 단수취급 한다.

11 'a number of+복수 명사'는 복수 취급한다.

12 불변의 진리는 항상 현재시제로 써야 한다.

3주 누구나 **100점 테스트** pp. 130 ~ 131

01 a **02** b

03 Milk was brought to the man by the cow.

04 The roof was covered with snow.

05 If I knew his address, I could send him a present.

06 If it had been rainy

07 He had better not eat snacks

08 It must have snowed last night.

09 Each ant carries one piece of grain.

10 He said that the Sun rises in the East.

---

01 b에서 수동태의 부정문은 'be동사+not+과거분사'이므로 were not fixed가 되어야 한다.

02 a에서 조동사가 있는 수동태는 '조동사+be+과거분사'의 형태로 쓴다.

03 4형식 문장의 직접목적어가 수동태 문장의 주어가 된 경우이다. bring은 간접목적어 앞에 to를 쓰는 동사이므로 to the man이 되어야 한다.

04 be covered with는 '~으로 덮여 있다'라는 뜻으로, 수동태 문장에서 by 이외의 전치사를 쓰는 숙어이다.

05 가정법 과거에서 주절의 조동사는 과거형으로 쓰므로 could가 되어야 한다.

06 가정법 과거완료는 'If+주어+had+과거분사 ~, 주어+조동사의 과거형+have+과거분사 ~' 형태로 쓴다.

07 had better는 '~하는 게 좋다'라는 의미로, 부정은 had better not이다.

08 'must have+과거분사'는 '~했음이 틀림없다'라는 의미이다.

09 주어가 'each+단수 명사'일 때 단수 취급하므로 동사는 3인칭 단수형 carries가 알맞다.

10 종속절이 불변의 진리를 말할 때는 주절의 시제에 상관없이 동사는 현재시제로 쓴다.

이번 주에는 무엇을 공부할까? ❷ pp. 134 ~ 135

❷-1 **01** busier **02** strongest
03 hottest **04** larger
05 more polite **06** most expensive

❷-2 **01** and **02** but
03 since **04** or
05 Though **06** While

❷-1 해석
01 바쁜 **02** 강한
03 뜨거운 **04** 큰
05 예의바른 **06** 비싼

❷-2 해석
01 나는 햄버거와 탄산음료를 원한다.
02 그 개는 크지만 귀엽다.
03 그녀는 시험이 있기 때문에 일찍 일어났다.
04 그나 그녀가 아침을 만들었다.
05 눈이 왔지만, 그들은 밖으로 나갔다.
06 우리가 TV를 보는 동안에 그는 샤워했다.

 1일

원급을 이용한 비교 구문

개념 원리 **확인** p. 137

A **01** small **02** as **03** times
04 as **05** twice **06** so

B **01** 그의 것(머리카락)보다 두 배 더 긴
02 내가 좋아하는 것만큼 많이
03 탑만큼 높지 않은

---

04 양보다 열 배 더 큰

05 책만큼 흥미롭지 않은

06 어제만큼 추운

A 01, 04 '~만큼 …한'이라는 의미의 'as＋원급＋as' 구문이다.

02, 06 '~만큼 …하지 않은'이라는 의미의 'not as/so＋원급 ＋as' 구문이다.

B 01, 04 배수 표현＋as＋원급＋as: ~배 더 …한

A 해석

01 내 고양이는 내 개만큼 작다.

02 네 가방은 내 것만큼 무겁지 않다.

03 Max의 아빠는 Max보다 세 배 더 나이가 많다.

04 외투는 신발만큼 새것이었다.

05 이 나무는 저 나무보다 두 배 더 굵다.

06 요리하는 것은 빵 굽는 것만큼 어렵지 않았다.

B 해석

01 네 머리카락은 내 것보다 두 배 더 길다.

02 그녀는 내가 야구를 좋아하는 것만큼 야구를 많이 좋아한다.

03 그 건물은 그 탑만큼 높지 않다.

04 소는 양보다 열 배 더 크다.

05 영화는 책만큼 흥미롭지 않았다.

06 오늘은 어제만큼 추울 것이다.

여러 가지 비교급 표현

개념 원리 확인   p. 139

A 01 more   02 a lot
   03 higher and higher 04 better
   05 far   06 louder and louder
B 01 warmer   02 smaller
   03 worse   04 The longer
   05 and   06 more

A 01, 04 '~하면 할수록 더 …한/하게'라는 의미의 'the 비교급 ~, the 비교급 …' 형태이다.

02, 05 a lot과 far는 비교급 앞에서 '훨씬 더 ~한/하게'라는 의미로 비교급을 강조한다.

B 01, 06 비교급 앞에 much와 far가 쓰여 '훨씬 더 ~한/하게'라는 의미로 비교급을 강조하는 형태이므로 비교급으로 고쳐 쓴다.

02, 05 '점점 더 ~한/하게'라는 의미의 '비교급 and 비교급' 형태로 고쳐 쓴다.

A 해석

01 네가 더 많이 가질수록 더 많이 원한다.

02 그녀는 Amy보다 훨씬 더 인기가 있다.

03 비행기는 점점 더 높이 날고 있다.

04 날씨가 추워질수록 그는 기분이 더 좋다.

05 경기장은 공원보다 훨씬 더 컸다.

06 그의 목소리는 점점 더 커졌다.

B 해석

01 네 코트는 내 것보다 훨씬 더 따뜻하다.

02 풍선은 점점 더 작아졌다.

03 상황이 전보다 더 나빠졌다.

04 우리는 더 오래 기다릴수록 더 화가 났다.

05 점점 더 더워지고 있다.

06 탁자는 의자보다 훨씬 더 비싸다.

1일 기초 집중 연습   pp. 140 ~ 141

01 much cleaner

02 not as/so heavy as

03 The kinder

04 slower and slower

05 twice as big as

06 He is not as young as Jessica.

07 My grandmother is four times as old as I am.

08 She is speaking faster and faster.

09 Paul got up a lot earlier than his sister.

10 The more friends I have, the happier I am.

01, 09 much, a lot은 비교급 앞에서 '훨씬 더 ~한/하게'라는 의미로 비교급을 강조한다.

03, 10 '~하면 할수록 더 …한/하게'라는 의미의 'the 비교급 ~, the 비교급 …' 형태이다.

05, 07 '~배 더 …한/하게'라는 의미의 '배수 표현+as+원급+as' 형태이다.

여러 가지 최상급 표현

개념 원리 확인   p. 143

A 01 the youngest   02 in
  03 best   04 greatest
  05 met
B 01 the most creative
  02 the happiest animal
  03 one of the oldest
  04 the worst movie
  05 have ever read

A 02 '…에서 가장 ~한/하게'라는 의미의 최상급 표현에서 장소나 범위를 나타내는 말 앞에는 전치사 in을 쓴다.

03, 05 '지금까지 …한 것 중 가장 ~한'의 의미의 최상급 표현은 'the 최상급+명사+(that +)주어+have/has+(ever+)과거분사' 형태로 쓴다.

B 03 '가장 ~한 …중 하나'라는 의미의 최상급 표현은 'one of the 최상급+복수 명사' 형태로 쓴다.

A **해석**
  01 Jessica는 셋 중 가장 어린 소녀이다.
  02 Mark는 그의 반에서 가장 인기 있는 학생이다.

03 로마는 우리가 지금까지 머문 도시 중 최고이다.

04 그가 캐나다에서 가장 위대한 예술가 중 한 명이니?

05 Alice는 내가 지금까지 만난 사람 중 가장 아름답다.

최상급의 다양한 표현

개념 원리 확인   p. 145

A 01 any other   02 all the other
  03 older than   04 old as
B 01 animal   02 stars
  03 fast   04 more beautiful
  05 as

B 01 '비교급+than any other' 다음에는 단수 명사가 온다.

02 '비교급+than all the other' 다음에는 복수 명사가 온다.

03, 05 'No (other)+명사+동사+as [so]+형용사/부사+as' 형태가 알맞다.

B **해석**
  01 개미는 다른 어떤 동물보다 더 작다.
  02 그 별은 하늘에 있는 다른 모든 별보다 더 밝다.
  03 다른 어떤 차도 빨간색 차만큼 빠르지 않다.
  04 장미는 다른 어떤 꽃보다 더 아름답다.
  05 다른 어떤 작가도 셰익스피어만큼 유명하지 않다.

2일 기초 집중 연습   pp. 146 ~ 147

01 one of the most popular sports
02 the most famous singer (that)
03 faster than any other animal
04 No other island is more beautiful than
05 smaller than all the other stores
06 He is the best player in the team.
07 She is the kindest teacher of the four.

08 No other student is stronger than Beth.

09 The Sun is bigger than all the other planets.

10 No other person is as diligent as Ted.

01 '가장 ~한 …중 하나'라는 의미의 최상급 표현은 'one of the 최상급+복수 명사' 형태로 쓴다.

05 '비교급+than all the other' 다음에는 복수 명사가 오는 것에 유의한다.

06 '…에서 가장 ~한'이라는 의미의 최상급 표현에서 장소나 범위를 나타내는 말 앞에는 전치사 in을 쓴다.

08 'No (other)+명사+동사+비교급+than' 형태가 알맞다.

의문문

개념 원리 확인   p. 149

A **01** What   **02** Are

     03 When   **04** Does

     05 Why   **06** Did

B **01** ⓑ   **02** ⓔ

     03 ⓓ   **04** ⓐ

     05 ⓒ

A **01** 의문사가 있는 의문문에 일반동사가 쓰일 때는 '의문사+do[does]/did+주어+동사원형 ~?' 형태로 쓴다.

     02 의문사가 없는 의문문에 be동사가 쓰일 때는 'Be동사+주어 ~?' 형태로 쓴다.

B 의문사가 있는 의문문에는 Yes/No로 대답하지 않는 것에 유의한다.

A 해석

     01 이 표지판은 무엇을 의미하니?

     02 그 소년들은 영어를 잘하니?

     03 Anderson 선생님의 생일이 언제니?

     04 네 차는 자주 고장이 나니?

05 너는 왜 모임에 늦었니?

06 그들은 지난 월요일에 만났니?

B 해석

     01 왜 너는 병원에 갔니? – 머리가 아파서.

     02 누가 그 팀의 리더니? – Chris Jones.

     03 네 여동생은 학교에 걸어서 가니? – 아니.

     04 언제 Jay와 Ashley는 결혼했니? – 4월에.

     05 학생들은 시험 볼 준비가 되었니? – 응.

간접의문문

개념 원리 확인   p. 151

A **01** what   **02** whether

     03 if   **04** where we went

     05 he will bring   **06** the cake is

B **01** who Eric trusts   **02** why she was

     03 where his cap was   **04** if Jessica is

     05 when she got   **06** whether they will

A **01, 04, 06** 의문사가 있는 간접의문문은 '의문사+주어+동사' 형태로 쓴다.

     02, 03, 05 의문사가 없는 간접의문문은 'if/whether+주어+동사' 형태로 쓴다.

B **04, 06** 의문사가 없는 간접의문문이므로 if/whether 다음에 '주어+동사' 어순으로 쓴다.

A 해석

     01 너는 그녀가 점심으로 뭐를 먹었는지 알았니?

     02 그녀는 부모님이 화가 나신지 궁금하다.

     03 그가 새로운 선생님인지 말해줄 수 있니?

     04 그에게 우리가 어젯밤에 어디를 갔는지 말해라.

     05 나는 그가 간식을 좀 가져올 것인지 궁금하다.

     06 너는 그 케이크가 얼마인지 아니?

정답과 해설

B 해석

01 Eric이 누구를 믿는지 우리에게 말해 줘.

02 그들은 왜 그녀가 울고 있었는지 알지 못했다.

03 그는 그의 모자가 어디에 있었는지 기억하지 못했다.

04 Jessica가 미국인인지 우리에게 말해 줘.

05 너는 그녀가 오늘 아침에 언제 일어났는지 아니?

06 나는 그들이 우리를 방문할지 확신하지 못한다.

3일 기초 집중 연습   pp. 152 ~ 153

01 How do they go to the museum?

02 Was Chris at the library this afternoon?

03 Why was his father upset with him?

04 Does Brian ride his bike to school?

05 What did Kyle give you for your birthday?

06 who has the plane tickets

07 if [whether] Ms. White can speak French

08 where the closest subway station is

09 if [whether] Sally locked the door

10 when the show starts

01, 05 의문사가 있는 의문문에 일반동사가 쓰일 때는 '의문사+do[does]/did+주어+동사원형 ~?' 형태로 쓴다.

04 의문사가 없는 의문문에서 일반동사가 쓰일 때는 'Do[Does]/Did+주어+동사원형 ~?' 형태로 쓴다.

06 의문사 who가 문장의 주어 역할을 함에 유의한다.

07, 09 의문사가 없는 간접의문문은 'if/whether+주어+동사' 형태로 쓴다.

해석

06 누가 비행기표를 가지고 있니?

07 White 선생님은 프랑스어를 하실 수 있니?

08 가장 가까운 지하철역이 어디니?

09 Sally는 문을 잠갔니?

10 공연이 언제 시작하니?

접속사 since, though

개념 원리 확인   p. 155

A 01 since   02 since
    03 Though   04 since
    05 though

B 01 Though he felt sick
    02 Since it is a holiday
    03 Though the sun comes out
    04 since we saw her
    05 since he left

A 01, 04 '~이후로'라는 시간을 나타내는 접속사 since가 알맞다.

03, 05 '~이지만'이라는 양보의 의미를 나타내는 접속사 though가 알맞다.

B 02 '~때문에'라는 이유를 나타내는 접속사 since를 사용하여 문장을 완성한다.

A 해석

01 나는 열 살 때부터 Tom을 알고 있다.

02 그는 감기에 걸렸기 때문에 노래할 수 없었다.

03 나는 피곤했지만, 밖에 나갔다.

04 우리가 처음 만났을 때부터 나는 그녀를 좋아했다.

05 그는 친구가 많음에도 불구하고 종종 외롭다.

접속사 while, as soon as, whether/if

개념 원리 확인   p. 157

A 01 while   02 As soon as
    03 whether   04 as soon as

05 while

B 01 while 　　　　02 whether

　　03 As soon as 　　04 if

　　05 While 　　　　06 whether

A 01 '~하는 반면에'라는 의미로 대조를 나타내는 접속사 while 이 알맞다.

　　05 '~하는 동안에'라는 의미로 때를 나타내는 접속사 while이 알맞다.

B 02, 04, 06 '~인지 (아닌지)'라는 의미로 명사절을 이끄는 whether/if가 알맞다.

B 해석

　　01 나는 친구를 기다리고 있는 동안에 사고를 목격했다.

　　02 그들은 유령이 있는지 없는지 궁금하다.

　　03 나는 일어나자마자 아침을 만들었다.

　　04 영화가 재미있는지 내게 알려줘.

　　05 Kelly는 TV를 보고 싶어 하는 반면에 Jim은 게임을 하고 싶다.

　　06 문제는 그가 살아있는가이다.

4일 기초 **집중 연습** 　　　　pp. 158 ~ 159

01 As soon as I went to bed

02 though she is young

03 whether David will go home after school

04 Since it was cold

05 while Jack wants to take a nap

06 As soon as he saw me

07 Though we left home early

08 Whether he saw the thief

09 since I was twelve

10 while Amy was reading books

01, 06 '~하자마자'라는 의미의 때를 나타내는 접속사 as soon as를 사용하여 문장을 완성한다.

02, 07 '~이지만'이라는 양보의 의미를 나타내는 접속사 though 를 사용하여 문장을 완성한다.

03, 08 '~인지 (아닌지)'라는 의미로 명사절을 이끄는 whether 를 사용하여 문장을 완성한다.

10 '~하는 동안에'라는 의미의 때를 나타내는 접속사 while을 사용하여 문장을 완성한다.

해석

01 나는 잠자리에 들었다. 나는 잠들었다.

02 Juliet은 매우 책임감이 있다. 그녀는 어리다.

03 그것은 확실하지 않다. David는 방과 후에 집에 갈 것이다.

04 추웠다. 그녀는 따뜻한 외투를 입었다.

05 Ella는 밖에 나가고 싶다. Jack은 낮잠을 자고 싶다.

5일

접속사 so, so ~ that, so that

개념 원리 확인 　　　　p. 161

A 01 우리가 �쬘 수 있도록

　　02 그래서 우리는 취소했다

　　03 너무 아파서 그는 일할 수 없었다

　　04 매우 저렴해서 그녀는 살 수 있다

B 01 so strong that the window was broken

　　02 so that I can keep healthy

　　03 so hard that we could finish

　　04 so small that he couldn't wear

　　05 so he didn't get wet

A 01 so that은 '~하기 위해'라는 의미의 목적을 나타내는 접속사이다.

　　02 so는 '그래서'라는 의미의 결과를 나타내는 접속사이다.

B 03 '매우 ~해서 …할 수 있다'라는 의미의 'so ~ that … can'을 사용하여 문장을 완성한다.

정답과 해설

04 '매우 ~해서 …할 수 없다'라는 의미의 'so ~ that … can't'를 사용하여 문장을 완성한다.

A 해석

01 우리가 신선한 공기를 쐴 수 있도록 창문을 열어라.

02 눈이 많이 와서 우리는 여행을 취소했다.

03 그는 너무 아파서 일할 수 없었다.

04 그 책은 매우 저렴해서 그녀는 그것을 살 수 있다.

B 해석

01 날씨는 추울 뿐만 아니라 바람이 많이 분다.

02 그와 그의 형 둘 중 한 명이 차를 가지고 있다.

03 고양이도 개도 졸리지 않다.

04 펜과 자 둘 다 내 것이 아니다.

05 오렌지 주스나 사과 주스 둘 중 하나를 선택해라.

06 나는 저녁을 요리했을 뿐만 아니라 설거지도 했다.

상관접속사
개념 원리 확인 · p. 163

A 01 Both | 02 nor
03 but | 04 either
05 is | 06 were
B 01 but | 02 has
03 is | 04 and
05 or | 06 washed

A 05, 06 not only A but also B (=B as well as A)가 주어일 때 동사는 B의 수에 일치시킨다.

B 02 either A or B가 주어일 때, 동사의 수는 B에 맞춘다.

06 상관접속사가 이어주는 말은 문법적으로 동등해야 한다. 앞에 과거시제가 쓰였으므로 washed가 알맞다.

A 해석

01 개미와 벌 둘 다 수명이 짧다.

02 아빠도 엄마도 요리를 잘 못하신다.

03 그는 잘생겼을 뿐만 아니라 지적이다.

04 우리는 6월과 7월 둘 중에 시험을 칠 것이다.

05 Steve의 형제들뿐만 아니라 Steve도 매우 정직하다.

06 셔츠뿐만 아니라 바지도 젖었다.

5일 기초 집중 연습 · pp. 164~165

01 Neither Tom nor I am
02 The book was so difficult that
03 so I couldn't work out
04 Either you or your sister
05 Not only the students but also the teachers
06 He was so hungry that
07 so that we can pass the exam
08 both Spanish and English
09 neither the piano nor the guitar
10 magazines as well as books

01, 09 'A도 B도 아닌'이라는 의미의 neither A nor B를 사용하여 문장을 완성한다. 동사의 수는 B에 일치시킨다.

06 '매우 ~해서 …할 수 없다'라는 의미의 so ~ that … can't를 사용하여 문장을 완성한다. 시제가 과거일 때 couldn't를 쓰는 것에 유의한다.

07 so that은 '~하기 위해'라는 의미의 목적을 나타내는 접속사이다.

10 'A뿐만 아니라 B도'라는 의미의 B as well as A를 사용하여 문장을 완성한다.

A **1** so, twice

   2 what, both, and

   3 What, not, but

B **1** that   **2** higher

   3 since   **4** bigger

   5 either   **6** times

C **1** as   **2** in

   3 The faster   **4** animals

   5 When   **6** if

   7 Though   **8** As soon as

   9 both, and

   10 그 수프은 너무 차가워서 나는 먹을 수 없었다.

   11 since

   12 그도 나도 피곤하지 않았다.

A **1** so ~ that ... can't는 '매우 ~해서 …할 수 없다'라는 의미이다. '~배 더 …한'은 '배수 표현+as+원급+as'로 표현한다.

2 의문사가 있는 간접의문문은 '의문사++주어+동사 ~' 형태이다. 'A와 B 둘 다'는 both A and B로 쓴다.

3 '무엇'인지 물을 때는 의문사 what을 쓰며 not only A but also B는 'A뿐만 아니라 B도'라는 의미이다.

B **2** '점점 더 ~한'은 '비교급 and 비교급' 형태로 쓴다.

4 '비교급+than any other+단수 명사'는 '다른 어떤 ~보다 더 …한'의 의미이다.

6 '~배 더 …한'은 '배수 표현+as+원급+as' 형태로 쓴다.

C **1** '~만큼 …하지 않은'이라는 의미의 'not as/so+원급+as' 구문이다.

2 '…에서 가장 ~한'이라는 의미의 최상급 표현에서 장소나 범위를 나타내는 말 앞에는 전치사 in을 쓴다.

3 '~하면 할수록 더 …한'이라는 의미의 'the 비교급 ~, the 비교급 …' 형태이다.

4 '다른 모든 ~들보다 더 …한'은 '비교급+than all the other+복수 명사' 형태로 쓴다.

5 '언제'인지를 물을 때는 의문사 when을 쓴다.

6 '~인지 (아닌지)'라는 의미로 명사절을 이끄는 if가 알맞다.

7 '~이지만'이라는 양보의 의미를 나타내는 접속사 Though가 알맞다.

8 '~하자마자'라는 의미의 때를 나타내는 접속사 as soon as가 알맞다.

9 'A와 B 둘 다'는 both A and B로 쓴다.

10 '매우 ~해서 …할 수 없다'라는 의미의 'so ~ that ... can't'를 사용하여 문장을 완성한다.

11 '~이후로'라는 시간을 나타내는 접속사 since가 알맞다.

12 neither A nor B는 'A도 B도 아닌'이라는 뜻이다.

C **해석**

1 그는 그의 누나만큼 예의 바르지 않다.

2 이것은 이 가게에서 가장 비싼 외투이다.

4 돌고래는 다른 모든 동물들보다 더 똑똑하다.

5 언제 학교가 시작하니? – 8시 50분에 시작해.

6 네가 바쁜지 내게 말해 줘.

정답과 해설

01 a   **02** b

03 The temple is one of the oldest places in this town.

04 Home is better than any other place.

05 Did they meet last Monday?

06 if he will bring some snacks

07 though he has many friends

08 Can you take care of my dog while I'm away?

09 I exercise every day so that I can keep healthy.

10 Either you or your brother has a car.

01 b에서 as와 as 사이에는 형용사의 원급을 써야 하므로 larger는 large가 되어야 한다.

02 a에서 비교급을 강조할 때는 비교급 앞에 very 대신 a lot, even, much, far, still 등을 쓴다.

03 'one of 최상급+복수 명사'는 '가장 ~한 …중 하나'라는 의미이므로 older는 oldest가 되어야 한다.

04 '비교급+than any other' 다음에는 단수 명사가 와야 한다.

05 일반동사 있는 의문문의 과거형은 'Did+주어+동사 ~?' 형태로 쓴다.

06 의문사가 없는 간접의문문은 'if/whether+주어+동사' 형태로 쓴다.

07 though는 '~이지만'이라는 의미의 양보를 나타내는 접속사로 뒤에 '주어+동사'가 이어진다.

08 '~하는 동안에'라는 의미의 접속사는 while이다.

09 so that은 '~하기 위해'라는 의미의 목적을 나타내는 접속사이다.

10 either A or B가 주어일 때 동사의 수는 B에 맞춘다.

중학 필수 영문법 기본서

티칭 말고 코칭! 문법 전문 G코치

G코치
(Grammar Coach)

한눈에 보는 개념

이미지와 인포그래픽으로 구성한
용어/개념을 한눈에 보며
쉽고 재미있게 문법 이해!

연습으로 굳히기

다양한 유형으로 충분히 반복 연습하여
개념 이해도를 확인하고,
부족한 부분은 별책 부록 워크북으로 보충!

QR코드 짤강

QR코드로 용어와 개념에 관한
짧은 애니메이션 강의 무료 제공!
간단명료한 설명으로 문법 클리어!

G코치를 만나면 문법에 자신감이 생긴다! 예비중~중3 (Good Starter 1~2, Level 1~3)

정답은
이안에
있어!

시작은 하루 중학 영어

- 문법 1, 2, 3
- 어휘 1, 2, 3

이 교재도 추천해요!

- G코치 (Grammar Coach)
- 3초 보카

시작은 하루 중학 사회 / 역사

- 사회 ①, ②
- 역사 ①, ②

시작은 하루 중학 과학

- 1-1, 1-2
- 2-1, 2-2
- 3-1, 3-2

배움으로 행복한 내일을 꿈꾸는
천재교육 커뮤니티 안내 · · ·

 교재 안내부터 구매까지 한 번에!
천재교육 홈페이지

천재교육 홈페이지에서는 자사가 발행하는 참고서,
교과서에 대한 소개는 물론 도서 구매도 할 수 있습니다.
회원에게 지급되는 별을 모아 다양한 상품 응모에도
도전해 보세요.

 구독, 좋아요는 필수! 핵유용 정보 가득한
천재교육 유튜브 <천재TV>

신간에 대한 자세한 정보가 궁금하세요?
참고서를 어떻게 활용해야 할지 고민인가요?
공부 외 다양한 고민을 해결해 줄 채널이 필요한가요?
학생들에게 꼭 필요한 콘텐츠로 가득한 천재TV로 놀러 오세요!

 다양한 교육 꿀팁에 깜짝 이벤트는 덤!
천재교육 인스타그램

천재교육의 새롭고 중요한 소식을 가장 먼저 접하고 싶다면?
천재교육 인스타그램 팔로우가 필수!
누구보다 빠르고 재미있게 천재교육의 소식을 전달합니다.
깜짝 이벤트도 수시로 진행되니 놓치지 마세요!